LA VIE COMPLIQUÉE
DE Léa Olivier

4. Angoisses

CATHERINE GIRARD-AUDET

Québec ✚✚
✚✚

Crédit d'impôt   Gestion
livres   **SODEC**

Gouvernement du Québec – Programme de crédit d'impôt
pour l'édition de livres – Gestion Sodec

Nous reconnaissons l'aide financière du gouvernement du Canada par l'entremise du
Fonds du livre du Canada pour nos activités d'édition.

La vie compliquée de Léa Olivier, 4. Angoisses
© Les éditions les Malins inc., Catherine Girard-Audet
info@lesmalins.ca

Directrice littéraire : Ingrid Remazeilles
Éditeur : Marc-André Audet
Illustration et conception de la couverture : Veronic Ly
Photographie de Catherine : Karine Patry
Mise en page : Marjolaine Pageau

Dépôt légal — Bibliothèque et Archives nationales du Québec, 2012
Dépôt légal — Bibliothèque et Archives Canada, 2012

ISBN : 978-2-89657-183-3

Imprimé au Canada

Les éditions les Malins inc.
5967 rue de Bordeaux
Montréal (Québec)
H2G 2R6

LA VIE COMPLIQUÉE
DE *Léa Olivier*

4. Angoisses

CATHERINE GIRARD-AUDET

Pour Veronic Ly, celle dont le talent a tout de suite conquis mon cœur et celui des jeunes! Merci pour le temps, l'énergie et tous les petits détails qui rendent nos couvertures si jolies, et qui font de toi la meilleure illustratrice au monde!! Léa ne connaîtrait jamais tout ce beau succès sans son look d'enfer!

Chapitre 1
Adiós, les nunuches !

À : Marilou33@mail.com
De : Léa_jaime@mail.com
Date : Jeudi 19 juin, 11 h 21
Objet : Je suis vivante !

HOURRA ! J'ai fini ! J'ai réussi à passer à travers la période des examens ! Comme je suis une fille exceptionnellement chanceuse, ils m'avaient laissé l'exam d'anglais pour la toute fin. J'étais claquée, et disons que mon cerveau souffrait déjà des séquelles de mes heures d'études en sciences et en maths, mais je devais quand même me concentrer pour réviser les verbes bizarres et les noms de tas d'objets inusités du genre « borne-fontaine ». Je ne sais pas quand le terme « *fire hydrant* » pourra m'être utile, mais, au moins, je me le suis rappelé pendant l'examen. Je ne sais pas quelle note je vais obtenir, mais je crois vraiment avoir réussi mon année !

Quand j'ai remis mon examen au prof, il a tenu à me féliciter.

Le prof : Léa, je voulé té dirre que je pense que tou as fait tout un progrès *this year*. *At first*, tou né voulais même pas parrrrler devant tes camarades, *but now, you are* tellement plous confiante !
Moi (rouge comme une *tomato*) : *Yes*, euh... *Thank you.* Merci, monsieur. Vous avez été un bon prof pour moi.

Et je suis sortie de la classe avant de me mettre à pleurer. Je ne sais pas si c'est la joie de ne plus voir les nunuches pendant deux mois qui me rend aussi sensible ou si c'est le fait d'avoir croisé Éloi juste avant l'examen, mais j'avais une boule dans la gorge. J'ai finalement réussi à reprendre mon souffle en sortant de l'école avec tout le contenu de mon casier dans mon sac. Katherine était assise à une table de pique-nique et se moquait de mon frère, qui venait de se faire asperger de crème fouettée. Elle s'est précipitée vers moi en me voyant.

Katherine (en criant de joie) : Léa! On a fini! On a réussi! Il ne nous reste plus que deux ans de secondaire et *BYE! BYE!* C'est le cégep qui nous attend!
Moi (en pointant Félix) : Et apparemment un peu de crème fouettée!
Katherine : Ouais, c'est une tradition dans notre école. Les finissants font une bataille de crème fouettée pour la dernière journée! Pauvre Félix! J'espère au moins qu'il va avoir le temps de se refaire une beauté avant le bal!

J'ai observé Katherine du coin de l'œil. Même si elle s'obstine à dire qu'elle a fait son deuil de Félix et qu'elle est *full* contente d'être son amie, je persiste à croire qu'elle est encore secrètement amoureuse de lui. Je pense que l'été lui fera autant de bien qu'à moi!

Katherine : Parlant de bal... Je sais que tu n'y vas pas, mais est-ce que ça te dérangerait de venir m'aider à me préparer chez moi, demain ? Je veux vraiment être *full* belle. Il faut que Jeanne et toi m'aidiez à me vieillir un peu. Je ne veux pas avoir l'air d'une enfant à côté des filles de secondaire 5.
Moi : Pas de problème ! Ça va me faire plaisir de te transformer en princesse !

Félix nous a interrompues avec des jets de crème fouettée. Je me suis retournée d'un bond et j'ai commencé à le poursuivre dans la cour d'école. Ça faisait du bien de rigoler au lieu de s'engueuler !

Après, je suis rentrée chez moi et j'ai pris une douche. Dès que j'aurai appuyé sur « envoyer », je devrai rejoindre mes parents qui m'attendent dans le salon. Ils tiennent à ce qu'on célèbre la fin de l'année scolaire en famille. Demain soir, j'aurai la chance de fêter ça avec Jeanne et Alex. Ils m'ont convaincue de les accompagner chez José pour le party de fin d'année. Ça ne me tentait vraiment pas d'y aller parce que :
1- Je ne veux pas voir les nunuches.
2- Je ne veux pas voir Éloi.
3- Je ne veux pas voir José.
4- Ai-je besoin d'un 4 ?

Mais ils m'ont répété qu'ils voulaient vraiment passer le plus de temps possible avec moi avant mon départ pour le camp, alors j'ai fini par accepter.

Lou, plus que neuf jours avant notre fameux départ! J'ai vraiment hâte de passer quatre semaines avec toi, mais j'avoue que je ne sais pas trop à quoi m'attendre du Camp Soleil. J'ai été tellement occupée par les examens depuis que j'ai décidé d'y aller que je n'ai même pas eu le temps de jeter un coup d'œil à la liste des machins dont on a besoin pour survivre dans le bois! L'ironie, c'est que tu détestes le camping et que ma relation avec Éloi m'a appris que je n'étais pas tout à fait une fille de la nature. Mais on s'apprête quand même à passer vingt-huit jours parmi les mouches, les vers de terre, les araignées et l'inconfort! On va tellement rire, Lou!

Bon, je te laisse! Mes parents crient qu'on va être en retard au restaurant. Je pense à toi et je t'envoie plein d'ondes positives pour ton dernier examen demain matin!

J'ai hâte au 28!
Léa
Xox

À : Léa_jaime@mail.com
De : Marilou33@mail.com
Date : Vendredi 20 juin, 18 h 21
Objet : Merci, petit frère gossant !

J'AI FINI !! Mon examen de maths est derrière moi, et je peux enfin respirer. Je ne sais pas ce que ça va donner, mais bon, j'ai fait de mon mieux. Quand on a remis nos copies, Steph et Laurie ont littéralement sauté dans mes bras en hurlant.

Steph : Les filles ! C'est fini ! On est en vacances !!
Laurie : Enfin ! J'étais plus capable de l'école !
Moi (sans trop d'émotions) : Yé !
Steph (en fronçant les sourcils) : Ça ne va toujours pas mieux, hein ?
Moi (en m'efforçant de faire semblant d'être relativement de bonne humeur) : Oui, je suis contente. On a fini l'école !
Laurie (en me prenant par les épaules) : Marilou, ça fait presque deux semaines que tu es sur le neutre. Je comprends que tu sois triste à cause de JP, mais on ne te reconnaît plus. Ça nous inquiète.
Moi (en toussotant parce que je sentais les larmes me piquer les yeux) : Non ! Ça va, je vous dis. C'est sûr que ce n'était pas particulièrement agréable de le croiser tous les jours et de le voir rigoler avec Thomas-le-con, Sarah Beaupré et Géraldine-chose-bine, qui ne le lâche pas d'une semelle depuis qu'on a cassé. Mais croyez-moi,

je suis VRAIMENT soulagée qu'on soit en vacances et que je n'aie plus à me taper ce joyeux spectacle !

Laurie : C'est vrai qu'elle est vraiment gossante, Géraldine. C'est quoi, son problème ?

Steph : Seb m'a dit qu'elle était gentille, mais si tu veux, Marilou, je vais la boycotter par solidarité.

Moi : T'es fine ! Tu n'es pas obligée de l'ignorer complètement, mais mettons que ça me ferait un choc de rentrer du camp et qu'elle soit devenue ta *best* !

Laurie : Parlant de camp, Steph et moi aimerions profiter un peu de ta présence pendant la petite semaine qui nous reste...

Moi (en l'interrompant) : Je sais où tu veux en venir, Laurie, mais il est hors de question que je vienne avec vous chez Seb, ce soir. Je sais que JP sera là, et ça ne me tente pas de le voir. En fait, ça me tente, mais ça ne m'aidera pas... à me sentir mieux. Bref, j'aime mieux qu'on remette ça...

Steph : Je comprends. Si tu veux, je peux venir chez toi à la place.

Laurie : Moi aussi ! Je m'en fous de leur party !

Moi : C'est gentil, mais non ! Allez-y ! Je dois garder mon petit frère, de toute façon. On se reprendra demain soir ! On pourrait s'organiser une soirée de filles ?

Laurie : Bonne idée ! On fait ça chez moi ! Et vous resterez à coucher ! Comme ça, Marilou, on pourra te raconter tous les potins de la soirée !

Je les ai embrassées et je suis rentrée rapidement chez moi. La vérité, c'est que je n'ai pas vraiment besoin de garder mon petit frère ! Je préfère être seule ce soir. J'ai donc utilisé un prétexte pour m'en sortir sans devoir leur expliquer à quel point je me sens misérable depuis que j'ai cassé avec JP. :(Léa, est-ce que je t'ai dit à quel point j'étais désolée de ne pas avoir mieux mesuré l'ampleur de ta peine quand Thomas a cassé ? On dirait qu'il faut le vivre pour comprendre à quel point ça fait mal.

Dis-moi une chose : ça finit par passer, non ? Chaque matin, je me réveille, et pendant quelques secondes, je me sens bien. Puis le souvenir de ce qui est arrivé entre JP et moi me revient à l'esprit, et BOUM ! Je pleure pendant quinze minutes sous la douche. (Jamais devant mes parents, car je n'ai vraiment pas envie d'entendre leur « je te l'avais bien dit ! ».) Le soir, je commence à bien aller parce que je me suis répétée toute la journée que je méritais mieux qu'une demi-relation et que ça ne fonctionnait plus. Quand je me couche, je suis presque capable de respirer sans que ça me fasse trop mal. Puis je m'endors, je rêve, je me réveille... et tout est à recommencer. :(

Excuse-moi d'être aussi déprimante. J'espère sincèrement que le Camp Soleil va m'illuminer ! Lol ! J'ai même espoir que nos mésaventures en forêt me changent les idées ! J'ai tellement hâte de te voir !

Je te laisse ! Je me suis loué deux films de filles un peu déprimants qui correspondent bien à mon humeur. Tu me raconteras ta soirée et ta journée avec Katherine ! Lou xox

À : Marilou33@mail.com
De : Léa_jaime@mail.com
Date : Samedi 21 juin, 10 h 44
Objet : Je sympathise ☹

Lou ! Je sympathise tellement avec toi. Je sais à quel point la peine est intense et difficile à endurer au début, mais je t'assure que ça finit par se calmer. Je pense que notre séjour dans les bois et le fait que tu t'éloignes physiquement de JP t'aideront à cicatriser tes blessures et à reprendre des forces.

En lisant ton courriel et en me replongeant dans ma période noire post-Thomas, j'ai réalisé que depuis la fin de ma relation avec Éloi, je ne suis pas vraiment « en peine d'amour ». Je suis triste et je trouve ça plate de ne plus pouvoir parler à mon meilleur ami, mais ce n'est pas comparable à ce que j'ai vécu l'an dernier. Sérieusement, Lou, ne décourage pas. Je te promets que tu iras mieux, et que je serai bientôt avec toi pour te changer les idées ! :)

Hier, j'ai passé trois heures à aider Katherine à se poupouner. Et maintenant que tu la connais, tu peux t'imaginer que ses séances de poupounage sont intenses! On parle ici de gel coiffant-hydratant pour les cheveux, d'une mise en plis, d'un fer plat suivi d'un fer à friser, de quatre couches de vernis à ongles après la manucure, d'une pédicure approfondie et d'une séance de maquillage qui a duré une bonne heure. Je l'observais en prenant mentalement des notes. Je sais que je ne serai jamais aussi motivée qu'elle, mais je tenais quand même à apprendre quelques trucs de beauté 101! Même si certains détails m'exaspéraient, j'avoue que, lorsqu'elle a enfilé sa robe rouge courte et ajustée, je n'ai pu m'empêcher de dire «wow!». Elle était vraiment belle! J'imagine l'expression que Félix a dû faire en la voyant (Je suis partie avant qu'il arrive, mais ça ne m'étonnerait pas qu'il ait perdu connaissance! Lol!).

Avant de partir, Katherine a insisté pour me boucler les cheveux et me maquiller (on avait du temps à perdre, et c'était une façon pour elle de me remercier).

À mon arrivée chez Jeanne, c'est Alex qui m'a ouvert. Il a eu l'air surpris de me voir arrangée comme ça.

Lui : T'es ben belle! Es-tu venue nous annoncer que tu allais nous laisser tomber parce que tu as un rendez-vous galant?

Moi (en rougissant, évidemment) : Non ! C'est Katherine qui m'a coiffée et maquillée pour le *fun* ! Ne me regarde pas comme ça ! C'est bien moi, Léa, qui me cache sous ce déguisement de nunuche !

Alex a éclaté de rire et m'a fait entrer. Jeanne a elle aussi sursauté en me voyant. Elle m'a dit que ça m'allait bien, mais que c'était étonnant de me voir comme ça. Avoir su que ça créerait autant d'émoi, j'aurais refusé que Katherine me transforme en Maude ! Lol !

On a passé le reste de la journée et une partie de la soirée à rire, à espionner les profils des gens de l'école sur Facebook et à regarder des clips sur YouTube.

Alex et moi sommes partis en même temps et nous avons marché ensemble vers le métro.

Lui (en me donnant un petit coup de coude) : Alors, tu nous abandonnes dans une semaine ?
Moi (en faisant la même chose) : Ouaip ! J'espère que vous arriverez à survivre sans moi !
Lui : On va essayer, mais tu vas nous manquer. Tu vas ME manquer.

Il s'est tourné vers moi en souriant. Le même genre de sourire qui m'a fait craquer, il y a quelques mois. J'ai détourné le regard pour ne pas succomber à son charme. J'ai perdu un ami, je n'en perdrai pas deux !

Moi (en toussotant pour cacher mon malaise) : Mouais, mais tu auras Jeanne pour te divertir. Et n'oublie pas qu'à mon retour, on pourra aller s'amuser à La Ronde !
Lui (en souriant) : C'est vrai ! On pourra avoir une *date* à ton retour !

J'imagine ici qu'il parle d'une *date* amicale, non ? Je n'ai pas osé lui demander.

Moi (en rougissant) : Ben oui ! Et... Si tu veux en parler à Jeanne, n'hésite surtout pas !

Je ne sais pas pourquoi j'ai dit ça. Si tu te souviens bien, à la base, j'avais envie d'y aller seule avec lui ! Mais là, on dirait que sa drague amicale m'a décontenancée. Il fallait que je trouve un moyen de détendre l'atmosphère... ou alors de dresser une barrière (Jeanne) entre nous. Je ne sais pas comment il fait, mais Alex réussit souvent à me faire perdre tous mes moyens !

Lorsqu'on est arrivés au métro, je me suis tournée vers lui pour l'embrasser sur les deux joues et lui dire au revoir puisqu'on n'allait pas dans la même direction. Quand je suis passée d'une joue à l'autre, j'ai été littéralement envoûtée par son odeur et j'ai senti des papillons dans mon ventre. Merdouille ! Pourquoi est-ce qu'il me fait autant d'effet ?

Moi (en rougissant encore, parce sans le vouloir, j'ai donné mon deuxième bec un peu trop proche de ses lèvres) : Euh !... Bon... Ben... Euh !... On se revoit cette semaine avant que je parte ?

Lui (en me regardant droit dans les yeux) : C'est sûr ! Appelle-moi ou texte-moi demain !

Je lui ai fait un signe de la main et j'ai dévalé rapidement les marches pour attraper mon métro et m'enfuir le plus loin possible avant de faire une niaiserie (genre, l'embrasser). Je sais qu'Alex est charmeur, et je sais (enfin, je pense !) que je lui plais bien, mais je sais aussi qu'on vit une super amitié tous les trois, que je sors d'une relation avec un autre ami qui n'a pas fonctionné et surtout qu'avec Alex... ça ne fonctionnerait pas. Genre que je ne lui ferais pas confiance. Il est trop beau, trop charmeur... trop tout ! Bref, le bois et les mouches me feront du bien, à moi aussi !

Félix est venu se changer, puis il est reparti pour son après-bal organisé dans un camping près de Drummondville. Il m'a dit que la soirée s'était super bien déroulée. Il était prêt à faire le party avec ses « chums et leurs amies *chicks* ». J'en conclus que Katherine ne l'a pas accompagné là-bas... Je vais attendre un peu avant de l'appeler pour aller à la chasse aux potins !

J'espère que tu passes une matinée pas trop lourde ! Dis-toi que dans une semaine, on sera ensemble et qu'on pourra s'amuser comme des folles !

Profite de ta soirée de filles, et écris-moi dès que tu peux !
Léa xox

Samedi 21 juin

13 h 04

Katherine (en ligne): Léa? T'es là?

13 h 05

Léa (en ligne): Oui! Je m'apprêtais justement à t'appeler! Alors, comment s'est déroulé le grand bal?

13 h 06

Katherine (en ligne): Super bien... Jusqu'à ce que je surprenne Félix en train de *frencher* une autre fille. ☹

13 h 07

Léa (en ligne): Hein? Tu me niaises?

13 h 12

Katherine (en ligne): Non! La soirée se déroulait bien, et comme je connaissais déjà la plupart de ses amis, je ne me sentais pas trop rejet.

Les filles de secondaire 5 me regardaient un peu croche, mais ça ne me dérangeait pas trop, parce que j'étais aux côtés de Félix et que c'est moi qu'il avait choisie pour l'accompagner. Vers la fin de la soirée, un des gars assis à table m'a demandé de danser un slow. Félix avait disparu, alors j'ai accepté. Après la chanson, je suis retournée à la table, mais il n'était pas là. J'ai fait le tour de la salle et je suis finalement allée sur la terrasse où les fumeurs s'étaient rassemblés. C'est là que j'ai vu Félix qui *frenchait* une fille en retrait. Je ne sais pas qui c'est, car elle me tournait le dos. Et quand Félix est venu me rejoindre quelques minutes plus tard, je n'avais plus trop le cœur à la fête...

13 h 13

Léa (en ligne): Je te comprends! Est-ce que tu lui as dit que tu l'avais vu?

13 h 14

Katherine (en ligne): Non. Je ne voulais pas créer de malaise, ni ruiner la soirée. Après tout, c'était son bal, et on ne sort pas ensemble. En plus, je lui ai répété mille fois que je ne voulais pas revenir avec lui, alors il a le droit de faire ce qui lui plaît...

Léa (en ligne): Je sais, mais il aurait quand même pu se retenir jusqu'à l'après-bal avant de sauter sur une fille! Il m'énerve!

Katherine (en ligne): Merci de ta solidarité! ☺ Il m'a quand même invitée à son après-bal, mais je lui ai dit que j'avais mal à la tête et que je préférais rentrer. La vérité, c'est que je pense qu'une partie de moi l'aime encore. C'est peut-être la claque dont j'ai besoin pour passer à autre chose...

Léa (en ligne): C'est vrai que des fois, on a besoin de souffrir encore plus avant de se reprendre en main! En tout cas, ça t'aura prouvé que Félix ne changera jamais...

Katherine (en ligne): Ouais! Et les vacances à la plage vont me faire du bien! Je vais pouvoir décrocher et concentrer mes énergies sur les beaux surfeurs américains! Lol!

Léa (en ligne): Chanceuse! Pendant ce temps, moi, je serai coincée avec des gars plus jeunes que moi et des mouches noires. Lol!

13 h 22

Katherine (en ligne): As-tu envie de magasiner demain? J'aimerais ça te voir avant ton départ!

13 h 24

Léa (en ligne): Bonne idée! Je t'appelle en me levant! Je dois y aller parce que mon père m'attend. (Il veut qu'on aille faire de la bicyclette ensemble... Lui et ses activités sportives... Soupir!) xxx

13 h 26

Katherine (en ligne): On se voit demain de toute façon. Amuse-toi bien à vélo! *Luv!*

À : Léa_jaime@mail.com
De : Marilou33@mail.com
Date : Dimanche 22 juin, 12 h 47
Objet : Besoin de partir !

Salut !

Merci de m'avoir fait sourire avec ton histoire concernant Alex. Je te jure, Léa Olivier, que tu as le don de te mettre les pieds dans les plats avec les gars ! Non seulement tu as déjà fréquenté Alex et ça t'a menée nulle part, mais en plus, il fait partie de ton super trio d'amis et il est copain avec ton ex ! Bref, tu fais bien de te tenir loin ! Je comprends tout de même que tu le trouves craquant. J'avoue que je l'avais trouvé particulièrement *cute* quand je l'avais vu à ton école ! ;)

De mon côté, ça va très moyen. La soirée d'hier avec les filles m'a fait du bien. Elles m'ont raconté que Sarah Beaupré et son amie Géraldine (ma nouvelle meilleure ennemie) étaient au party de Seb vendredi, et qu'elle a passé la soirée à coller JP. Steph s'obstine à me répéter qu'il avait l'air triste et pas du tout impressionné par les techniques de drague de la nunuche aux cheveux rouges, mais ça m'énerve quand même de penser qu'elle lui tourne déjà autour comme un vautour.

J'ai aussi appris que Laurie avait un *kick* sur un des amis de Sarah, qui traîne souvent avec JP, Seb et Thomas. Il paraît qu'ils ont passé la soirée à parler ensemble.

Il lui a même fait une demande d'amitié sur Facebook dès qu'il est rentré chez lui. J'ai répété à Laurie que tous les gars étaient des traîtres malhonnêtes, mais Steph m'a gentiment fait remarquer que je disais ça parce que j'avais été blessée, et que mon affirmation était fausse puisque son Seb était tellement fidèle.

Si tu veux mon avis, je trouve que son chum a tendance à coller la nunuche aux cheveux bleus (l'autre amie de Sarah et Géraldine) dès qu'elle a le dos tourné, mais je me suis retenue de le lui dire. Je ne veux pas semer la pagaille et être responsable d'une crise dans son couple parce que je ne fais plus confiance en la gent masculine! Lol!

En les quittant ce matin, j'ai fait un arrêt au dépanneur pour acheter du lait pour le café de mon père, et je suis évidemment tombée nez à nez avec Thomas et JP.

Thomas (en baissant les yeux): Salut, Marilou...
Moi (bête comme mes pieds): Salut toi-même.
JP (en essayant de détendre l'atmosphère): Marilou n'a jamais été une fille très matinale.
Moi (en serrant les poings pour m'empêcher de lui répondre qu'il n'avait pas à me parler comme ça, ni à faire semblant qu'il ne m'avait pas brisé le cœur): Bon, je vais aller chercher ma pinte de lait.

Je les ai contournés et je me suis rendue jusqu'au frigo. Quand je me suis retournée, j'ai vu que JP était planté derrière moi. Thomas l'attendait près de la caisse.

Moi : Excuse-moi ! Je veux passer pour aller payer et partir d'ici le plus vite possible.

Lui : T'étais où, vendredi ? J'espérais te voir chez Seb...

Moi : J'avais autre chose à faire. Je n'avais pas vraiment envie de te voir *cruiser* une autre fille devant moi.

Lui (en s'énervant un peu) : Ben voyons, Marilou ! Penses-tu vraiment que j'ai la tête à ça ? Je suis triste depuis que tu m'as laissé et je n'arrête pas de penser à toi...

Moi (en l'interrompant) : Arrête de jouer à la victime, JP ! Je n'ai pas cassé pour le *fun*, quand même ! Je l'ai fait parce que t'es comme Thomas ! Tu n'es pas capable de me donner plus, ni d'assumer que tu sors avec moi et que tu as envie de passer du temps avec moi. Je mérite mieux que ça ! Maintenant, si tu permets, j'aimerais payer ma pinte de lait, partir d'ici et ne plus te revoir de l'été. *BYE !*

J'avais les larmes aux yeux et les mains qui tremblaient. Comme Thomas traînait encore à côté de la caisse, je me suis contentée de déposer cinq dollars sur le comptoir sans attendre ma monnaie, puis je suis partie. Je sais que j'y suis allée un peu fort, mais ça m'énerve que ce soit à moi de le consoler et qu'il me fasse passer pour la méchante alors qu'il a tout fait pour que je casse avec lui !

Quand je suis rentrée à la maison, j'étais d'une humeur massacrante et je me suis enfermée dans ma chambre. J'ai même proposé à mon petit frère d'écouter des films d'animation tout l'après-midi pour me changer les idées.

Ma mère m'a aussi offert d'aller à Québec demain pour magasiner et assister au spectacle de la Saint-Jean sur les plaines d'Abraham. Elle sait que je ne suis plus avec JP. Je pense que c'est une façon pour elle de me changer les idées. Même si je ne suis pas aussi accro au magasinage que toi, je pense que c'est une bonne thérapie ! Je pourrai aussi compléter ma liste de trucs dont on a besoin pour le camp, et essayer de trouver des ensembles mignons pour séduire les charmants moniteurs quand j'aurai retrouvé ma bonne humeur ! ;) Et ça me fera du bien de chanter et de danser au spectacle ! En plus, ma tante Louise, qui habite à Sainte-Foy, se joindra à nous. Elle nous a invitées à dormir chez elle et son chum après !

Pour samedi, c'est dommage qu'on doive se rendre au camp dans deux autobus différents, mais on aura quatre semaines pour se reprendre ! J'AI HÂTE ! ! !

Donne-moi des nouvelles !
Lou

📱 **24-06 11 h 10**

Lou? Bonne Saint-Jean!

📱 **24-06 11 h 12**

À toi aussi! Où es-tu?

📱 **24-06 11 h 13**

Chez nous! Mes parents organisent un petit BBQ avec des amis, et ce soir, je suis censée assister à un spectacle avec Jeanne et Alex. Toi?

📱 **24-06 11 h 14**

Encore à Québec chez ma tante et son chum. Le spectacle était vraiment *cool* hier soir, et j'ai plein de nouveaux vêtements pour le camp! ☺

📱 **24-06 11 h 14**

Moi aussi! Katherine m'a encouragée à acheter deux tops plus… originaux: des camisoles avec de la dentelle au col. J'ai hâte que tu les voies!

📱 **24-06 11 h 15**

Je rentre chez moi en soirée. On s'écrit plus tard?

📱 **24-06 11 h 15**

Oui ! Et on se voit dans quatre jours ! ❤

📱 **24-06 11 h 15**

Je sais ! C'est ma raison de sourire en ce moment ! JTM !

À : Marilou33@mail.com
De : Léa_jaime@mail.com
Date : Mercredi 25 juin, 17 h 22
Objet : Tu seras fière de moi !

Salut !
Alors, comment se passe le retour ? As-tu commencé tes valises ? Moi, je dois quitter Montréal samedi à 8 h 30. Ma mère – la femme la plus prévoyante de l'univers – tient à ce qu'on ait tout préparé à l'avance pour qu'on puisse relaxer vendredi. (Elle a même pris une journée de congé pour passer du temps avec moi !)

On doit d'ailleurs réviser ma liste dès que j'aurai terminé de t'écrire ce courriel ! Hier soir, j'ai rejoint Alex et Jeanne vers 18 h pour assister à un spectacle de rue. C'était vraiment *cool* ! On s'est bien amusés (comme d'habitude). Comme Jeanne part demain pour son chalet pendant dix jours et qu'Alex passe la fin de semaine chez son oncle au Saguenay, c'était la dernière chance de se voir tous les trois.

Jeanne était la première à devoir partir, et elle m'a serrée très fort dans ses bras en me faisant promettre de lui écrire tous les jours, si je pouvais. J'ai d'ailleurs déjà vérifié sur le site du camp : il y a une salle informatique près de la cafétéria, alors on ne sera pas complètement coupées du monde !

Alex et moi avons décidé de marcher pendant encore une vingtaine de minutes avant de rentrer. Il m'a raconté qu'il avait vu Éloi depuis la fin de l'école, et qu'il allait plutôt bien, mais qu'il s'ennuyait de moi.

Moi : Moi aussi, je m'ennuie de lui. Avant qu'on sorte ensemble, il était mon meilleur ami. C'est difficile d'avoir tout perdu en même temps.
Lui : Je pense vraiment que vous pourrez redevenir des amis. Des fois, il faut juste laisser un peu de temps s'écouler. En attendant, tu sais que tu as un nouveau meilleur ami, non ?

Il a dit ça en esquissant un petit sourire en coin.

Moi (en rougissant) : Ouais ! C'est vrai qu'on forme un bon trio !
Lui : Ben là ! On peut être amis même quand Jeanne n'est pas là !
Moi (en bafouillant comme une nouille) : Oui... Je... Je sais... Je disais juste ça... parce que...

Alex s'est arrêté et m'a regardée d'un air moqueur. Puis il s'est approché de moi. Trop proche de moi.

Alex (à dix centimètres de ma bouche) : Je sais pourquoi tu as dit ça.

Il s'est approché doucement. Je n'avais qu'à tendre les lèvres pour l'embrasser. J'avais des papillons dans le ventre et je ne sentais plus mes jambes. J'ai fermé les yeux et je me suis concentrée très fort pour ne pas succomber, puis j'ai reculé d'un pas en baissant la tête. Quand j'ai rouvert les yeux, Alex me regardait encore, mais cette fois-ci, son sourire avait disparu.

Alex : Léa...
Moi (en l'interrompant) : Désolée, Alex, mais je ne peux pas. Je ne veux pas risquer de perdre ton amitié, ni celle de Jeanne, pour un baiser. Je tiens trop à toi pour ça. Je veux qu'on soit amis, mais pour ça, il faut laisser tomber le *flirt*, OK ?
Alex (en me regardant sérieusement, puis en me souriant) : Pas de problème !

Il s'est avancé, m'a donné un petit baiser sur la joue et m'a serrée dans ses bras. Il sent tellement bon ! Pourquoi, mais pourquoi est-ce qu'il n'est pas moche ? Au moins, je n'aurais pas envie de l'embrasser toutes les trois minutes !

On a continué à discuter pour détendre l'atmosphère, et à mon grand étonnement, je n'ai pas senti de tension entre nous. C'est la beauté d'Alex. Il n'est pas compliqué comme gars. Il ne cherchera pas à me faire sentir mal parce que je ne réponds pas à ses avances.

Quand on s'est quittés, il m'a tendu la paume de sa main pour que je lui fasse une sorte de *high five*. J'ai ri et j'ai frappé dans sa main.

Alex : C'est moins risqué de cette façon-là !
Moi (en riant) : Je suis complètement d'accord !
Alex : Écris-moi, OK ? J'aimerais ça avoir de tes nouvelles ! On va s'ennuyer de toi, Jeanne et moi !
Moi : Promis ! Écris-moi, toi aussi ! Et... tu salueras Éloi de ma part, OK ?
Alex : Promis. Prends soin de toi, Léa.
Moi : Prends soin de toi, Alex.

Je me suis dépêchée de partir avant de lui crier de tout oublier, de mettre une croix sur notre amitié et de trahir mon ex en l'embrassant. Ouf ! Je l'ai échappé belle ! Es-tu fière de moi ?

Je te laisse, car ma mère est devant ma porte et tape déjà du pied parce qu'on « a pris du retard » !

J'ai hâte à samedi !
Léa xox

Jeudi 26 juin

13 h 44

Félix (en ligne): Est-ce que c'est toi qui as emprunté ma casquette des Expos?

13 h 45

Léa (en ligne): Oui... Je trouve que tu as l'air fou quand tu la mets, et qu'elle me va comme un gant! Sans blague, j'avais besoin d'une casquette pour le camp, alors je me suis dit que ça me ferait penser à toi...

13 h 46

Félix (en ligne): Penses-tu vraiment que je vais avaler ça?

13 h 47

Léa (en ligne): Bon, OK, j'avoue: je n'ai pas de casquette et je n'ai pas envie de m'en acheter une parce que ça ne me va pas super bien. Donc, j'ai emprunté la tienne, qui me va quand même mieux que les autres. Et le fait qu'elle porte le logo des Expos lui donne un petit air rétro qui s'agence bien avec mon linge...

Félix (en ligne): Zzz...

Léa (en ligne): S'il te plaît, mon grand frère préféré!! ☺

Félix (en ligne): Bon, OK, mais fais-y attention! C'est papa qui me l'a achetée la première fois qu'on est allés au Stade olympique.

Léa (en ligne): Promis! Alors, t'es-tu finalement remis de ton après-bal? Il me semble que tu dors depuis cinq jours!

Félix (en ligne): Disons que j'ai fêté fort! Et le party de la Saint-Jean n'a pas aidé à m'en remettre!

Léa (en ligne): As-tu fait une nouvelle conquête?

Félix (en ligne): Bien sûr! ☺ C'est ça, être célibataire! Je te donnerai un cours, si tu veux!

13 h 50

Léa (en ligne): Est-ce que tu vas t'ennuyer de moi pendant mon absence?

13 h 51

Félix (en ligne): Oui et non. Oui, parce que je ne pourrai plus rejeter la faute sur toi quand maman me chicanera pour quelque chose. Et non, parce que je pourrai inviter mes amis et les laisser dormir dans ton lit.

13 h 51

Léa (en ligne): EILLE! Pas question que tes amis Cro-Magnon bavent sur mes oreillers!

13 h 52

Félix (en ligne): Hé! Hé! Hé! Bon, un petit match sur la Wii, ça te tente?

13 h 52

Léa (en ligne): Yep! J'arrive!

À : Léa_jaime@mail.com
De : Marilou33@mail.com
Date : Vendredi 27 juin, 15 h 47
Objet : Règlement con !

Léa ! Je viens de voir dans le prospectus qu'on n'a pas le droit aux cellulaires pendant tout le séjour au camp ! Genre qu'il faut leur remettre à l'arrivée. Ils nous le redonneront seulement à la sortie ! C'est tellement con ! J'espérais qu'on puisse s'envoyer des SMS pendant la journée, si on ne fait pas les mêmes activités !

Au moins, j'ai fini toutes mes valises et je suis prête à partir ! On se voit demain vers midi au Camp Soleil ! J'ai apporté des romans et plein de revues qu'on pourra lire quand on sera tannées de chanter des chansons débiles autour du feu ! Lol !

Je te laisse, car on part dans quelques minutes. Ma mère préférait qu'on dorme tous les quatre à Québec cette nuit, comme je dois y être très tôt demain matin. Lou xox

À : Jeanneditoui@mail.com,
Katherinepoupoune@mail.com, Alex514@mail.com
De : Léa_jaime@mail.com
Date : Vendredi 27 juin, 19 h 22
Objet : Au revoir, cellulaire ! Au revoir, mes amis !

Salut, les amis !
Premièrement, je voulais vous dire que Marilou vient de m'annoncer qu'on n'avait pas le droit d'avoir nos cellulaires pendant la durée du camp, alors vous me contacterez par courriel, OK ?

C'est vraiment nul comme règlement, parce que j'espérais vous décrire nos charmants camarades par SMS, mais je devrai le faire en long et en large et par courriel !

Deuxièmement, je voulais vous dire au revoir une dernière fois ! Vous allez vraiment me manquer tous les trois, et j'ai très hâte de vous revoir dans un mois.

@Jeanne. Amuse-toi à ton chalet et fais gaffe à Alex. Il est rusé, quand il veut !

@Alex. Amuse-toi aussi au Saguenay et entraîne-toi sur la Wii pendant mon absence. Je joue avec mon frère depuis deux jours et je commence à avoir du talent.

@Katherine. Profite de la plage, des beaux Américains et écris-moi dès que tu peux ! Je veux des nouvelles !

Gros bisous !
Léa

Chapitre 2
Écureuil Rôti

📱 **28-06 10 h 33**

Coucou, Léa ! Je suis dans l'autobus et serai auprès de toi dans quelques petites heures. Il y a sept autres personnes dans l'autobus. Deux enfants de onze ans, trois filles un peu plus jeunes que nous, et qui semblent se connaître, et deux gars pas très *cutes*. Ça commence mal !

📱 **28-06 10 h 36**

Vous n'êtes que sept ?! Chanceuse ! Moi, mon autobus (jaune et inconfortable) est bondé de jeunes. Les trois quarts sont vraiment plus jeunes que nous et chantent déjà des chansons débiles !

📱 **28-06 10 h 38**

As-tu repéré des gars qui ont du potentiel ?

📱 **28-06 10 h 40**

Négatif. Mais celui qui est assis à côté de moi semble normal. Il a genre notre âge et ne chante pas avec les autres.

📱 **28-06 10 h 41**

J'ai hâte de te voir !

📱 28-06 10 h 41

Moi aussi ! À tantôt ! xxx

À : Stephjolie@mail.com
De : Marilou33@mail.com
Date : Samedi 28 juin, 18 h 08
Objet : JE CAPOTE

Salut, Steph !
J'ai exactement trois minutes pour t'écrire, car je dois rejoindre Léa à la cafétéria pour le souper.

C'est un peu le chaos depuis qu'on est arrivées. Il y a plein de groupes et nous ne sommes pas encore installées dans notre campement... Nous avons quand même eu le temps de rencontrer nos moniteurs, et comble du malheur... CÉDRIC est l'un d'eux ! Oui, oui, Cédric ! Le gars que j'ai *frenché* au camping l'été dernier et qui m'a laissée tomber à deux reprises !

Non seulement je ne comptais pas le revoir, mais je ne m'attendais surtout pas à tomber sur lui dans un camp et à devoir endurer ses ordres pendant quatre semaines ! C'est complètement ridicule. Il n'a qu'un an de plus que moi ! Léa et moi sommes les plus vieilles du groupe, et nous avons déjà fait une demande pour faire des activités avec les apprentis moniteurs ! Sinon, nous allons devoir passer quatre semaines à jouer à cache-cache avec les enfants du camp ! JE CAPOTE !

En plus, Cédric est encore plus *cute* que dans mon souvenir, alors que moi, j'ai des broches maintenant.

Il n'arrête pas de me sourire et de m'envoyer des clins d'œil, et moi, je fais comme si de rien n'était. Il y a des limites à m'humilier. Il m'a rejetée deux fois. DEUX FOIS ! Et là, je dois endurer sa présence et le laisser me dire quoi faire ! Non, mais !

Bon, je te laisse. Je te reviens avec la suite des aventures dès que j'en ai la chance ! Il paraît que demain matin, nos moniteurs nous attribueront de beaux petits surnoms de camp que nous devrons utiliser jusqu'à la fin du séjour. Une chance que Léa est avec moi, parce que je pense que je n'aurais pas survécu à ma première journée !

Lou xox

À : Jeanneditoui@mail.com
De : Léa_jaime@mail.com
Date : Dimanche 29 juin, 10 h 22
Objet : Le camp des horreurs !

Salut, Jeanne !
J'ai tellement de choses à te raconter ! Premièrement, tu sais déjà que Marilou et moi faisons partie du groupe « des grands » de douze à quinze ans. Veux-tu savoir la meilleure ? Nous sommes les deux SEULES du groupe à avoir quinze ans ! Il y a quelques jeunes de quatorze ans, dont un gars qui semble plutôt gentil et

qui s'appelle Samuel. Il était assis à côté de moi dans l'autobus qui nous a conduits ici.

Dès notre arrivée, nous avons fait la connaissance de nos moniteurs.

L'un d'eux s'appelle Cédric. C'est un gars que Marilou a déjà embrassé l'été passé ! Elle capote un peu, parce qu'elle devra endurer qu'il soit notre chef pendant quatre semaines, et je vois bien qu'il lui fait encore de l'effet ! Son surnom de camp est Tam-Tam Boy.

Le deuxième est VRAIMENT beau. Il s'appelle Julien le ténébreux. Il a les cheveux châtains et les yeux bleu pâle, et il est bronzé, musclé et tellement *hot* ! Malheureusement, il a dix-sept ans. Il est mon moniteur, donc il me perçoit comme une enfant attardée.

La troisième s'appelle Jolie Gazelle. Elle est blonde, elle a un super beau corps et en plus, elle a l'air gentille. J'ai décidé que je ne l'aimais pas parce qu'elle est trop parfaite. Je suis sûre qu'elle va mettre le grappin sur Julien le ténébreux.

La quatrième, et non la moindre, s'appelle Chouette Motivée. Elle a commencé à me taper sur les nerfs dès qu'elle a ouvert la bouche. Elle n'est pas méchante, mais comme son nom le dit si bien, elle est TROP motivée, et beaucoup trop positive. Genre qu'elle croit que c'est la plus belle expérience de notre vie, que nous sommes tous de grands amis et que le monde est peuplé d'êtres heureux, d'arcs-en-ciel et de papillons.

Après avoir fait leur connaissance, Marilou et moi leur avons demandé à être promues dans le groupe des apprentis moniteurs. Ils se sont donc arrangés pour qu'on ait des tâches de «grandes» pour occuper nos journées au lieu de perdre notre temps avec les enfants du groupe. Nous devrons toutefois partager nos repas et dormir dans le campement des douze à quinze ans, mais Cédric nous a dit qu'on pourrait tout de même participer à la plupart des soirées organisées par les apprentis moniteurs et les moniteurs. C'est une mince consolation.

Nous avons passé la journée d'hier à faire des activités pour apprendre à mieux nous connaître. Après le souper, nous sommes finalement arrivées dans notre campement. Heureusement que Marilou et moi partageons le même chalet! J'aurais fait une attaque cardiaque, sinon.

Notre campement est situé à environ dix minutes de marche du quartier général, où se trouvent les douches, les toilettes, la salle informatique, la salle de jeu et la cafétéria. En d'autres mots, si j'ai envie de pipi pendant la nuit, je dois aller dans l'espèce de bécosse située dans le bois derrière le chalet et prendre le risque de croiser des coyotes, ou alors marcher pendant dix minutes jusqu'au QG. Argh! Nous devons aussi prendre nos petits-déjeuners autour du feu et manger dans une gamelle (c'est-à-dire une espèce de plat en métal que les gens bizarres utilisent en camping).

Et comble du malheur, j'ai oublié de mettre ma protection solaire hier et je ressemble à une tomate. :(

Je dois te laisser, car nous avons une rencontre avec nos moniteurs qui choisiront un «joli» nom de camp pour nous. Oui, tu as bien entendu! Nous aurons nous aussi droit à un superbe surnom pour que nos nouveaux «amis» puissent nous identifier! Je te tiendrai au courant des détails! Ensuite, Tam-Tam Boy et Jolie Gazelle veulent discuter avec Marilou et moi à propos des activités que nous pourrons faire en tant que *wannabe* apprenties monitrices. (Comme nous n'avons aucune expérience dans le domaine, nous ne pouvons pas vraiment être considérées comme des apprenties monitrices. Je pense qu'en réalité, ils ont eu pitié de nous et se sont arrangés pour nous donner plus de responsabilités. J'espère que ça ne sera pas de sortir les poubelles ou de nettoyer les toilettes!)

Donne-moi vite des détails sur ton séjour au chalet et sur la vie à Montréal, qui me manque déjà! Une chance que j'ai Marilou avec moi!
Léa xox

À : Léa_jaime@mail.com
De : Katherinepoupoune@mail.com
Date : Dimanche 29 juin, 14 h 23
Objet : Des ondes positives

Salut, Léa !

J'ai parlé à Jeanne ce matin. Elle m'a fait un résumé de tes aventures, et je tenais à t'envoyer tout plein d'ondes positives pour que tu tiennes bon malgré les mouches noires et les surnoms de camp ! Lol ! J'ai aussi appris que Marilou avait croisé le gars qu'elle avait *frenché* l'an passé, et qu'il est votre moniteur ! Ce doit être tellement bizarre comme situation, surtout lorsqu'on tient compte du fait qu'elle est en peine d'amour ! :(

De mon côté, Maude a insisté pour que je passe chez elle, hier soir. Elle avait organisé une petite fête avec tes amis préférés ! ;) Il y avait Sophie, Lydia, Marianne et trois autres amies de Maude qui ne vont pas à notre école, ainsi que José et quelques-uns de ses potes. En résumé, la soirée a été un véritable fiasco. Tout a commencé quand Maude s'est mise à parler dans le dos de Jeanne, et que je me suis fâchée.

Maude : Pourquoi Jeanne n'est pas là, ce soir ?

Sophie : Elle doit encore traîner avec sa Léna Oliviera !

Lydia : C'est quoi, son problème ? Pourquoi elle nous délaisse pour se tenir avec la nouvelle ?

Moi : Premièrement, ça fait un an que Léa est à notre école, alors je pense qu'on peut lâcher le statut de nouvelle ! Et deuxièmement, Jeanne est à son chalet en ce moment. C'est pour ça qu'elle n'est pas là.

Maude : Quand même ! Je trouve que Jeanne nous délaisse depuis quelques semaines. Elle est toujours avec Léa et Alex, et je la trouve *full* poche comme amie. Après tout ce que Léa m'a fait vivre, elle aurait pu être un peu plus solidaire.

Moi : Maude, franchement ! C'est toi qui as essayé d'humilier Léa devant toute l'école. Je pense que Jeanne t'en veut encore pour ça. Et si tu veux le savoir, moi aussi je trouve que t'es allée trop loin.

Sophie : Qu'est-ce que tu fais ici, alors ? Pourquoi tu ne vas pas rejoindre tes petits amis ?

Maude : C'est vrai, ça ! Va donc rejoindre Jeanne, espèce de traître !

Lydia : Ouin... T'sais !

Moi (en me levant) : C'est une bonne idée ! Je pense que je vais y aller.

J'ai pris mes cliques et mes claques et je suis sortie de la maison. À ma grande surprise, c'est José qui s'est lancé à ma poursuite.

José : Kath, attends ! Ne pars pas comme ça !

Moi : Écoute, José, tu n'as rien à voir là-dedans ! Tu n'es pas obligé de défendre ta blonde quand elle va trop loin.

José : Ce n'est pas que je cherche à la défendre... Je sais que Maude dit souvent des trucs blessants qui dépassent sa pensée, mais au fond, c'est parce qu'elle s'ennuie de Jeanne et de toi. Elle est triste de perdre ses amies.

Moi : Peut-être qu'il y a une raison pour laquelle elle perd ses amis, José ! Et il est temps qu'elle y réfléchisse.

José (en se rapprochant de moi, en prenant un air piteux) : Ouais, mais moi aussi, je m'ennuie de vous. De toi, surtout. Si tu te souviens bien, on a déjà été très proches, toi et moi...

Moi : Oui, José ! Je me souviens du *french* qui a ruiné mon amitié avec Maude. Elle a beau dire que ça s'est arrangé, je pense qu'on ne s'en est jamais vraiment remises. Je m'en suis beaucoup voulu pour ça. J'ai tout fait pour que ça redevienne comme avant, mais ça ne sert à rien. J'ai réalisé que c'est Maude qui a changé. Elle n'est plus aussi drôle et fofolle qu'avant. Je la trouve de plus en plus *bitch*, si tu veux vraiment le savoir.

José (en se rapprochant encore plus) : Oui, mais je ne suis pas Maude, moi ! Est-ce que tu t'ennuies de moi, des fois ?

Moi (en reculant) : Es-tu vraiment en train d'essayer de me draguer, José ?

Lui : Interprète ça comme tu veux, Kath. Je dis seulement que tu me manques. Je m'ennuie de nos et des heures qu'on passait ensemble au telephone.

Moi (d'un ton ferme): Cette complicité-là est morte le jour où on a dépassé les bornes et où on s'est embrassés. Désolée, José, mais les choses ne pourront plus jamais redevenir comme avant.

J'ai tourné les talons et je me suis éloignée, me sentant libérée. C'est un peu comme si une partie de moi était encore attachée à ce groupe-là, mais pas pour les bonnes raisons. Je leur donne toujours un peu le bénéfice du doute. Maintenant, je suis contente d'avoir mis les choses au clair avec José et Maude avant de partir aux États-Unis! Un poids de moins sur mes épaules!

D'ailleurs, je dois terminer mes valises, car on part demain très tôt! J'ai tellement hâte! Donne-moi de tes nouvelles dès que tu peux! Je m'arrangerai pour trouver un café Internet là-bas pour te faire un résumé de mes aventures!

Profite tout de même de ton séjour dans la nature et amuse-toi avec Marilou!

Je pense très fort à toi! *Luv!*
Katherine

À : Léa_jaime@mail.com
De : Jeanneditoui@mail.com
Date : Lundi 30 juin, 9 h 48
Objet : La suite, et vite !

Coucou !
Ton courriel m'a fait rire. Je n'ai tellement pas de vie ces jours-ci que j'attends déjà la suite de tes aventures avec impatience !

J'ai hâte de connaître ton nom de camp, et aussi de découvrir quel genre d'activité tu devras organiser avec les jeunes. Raconte-moi tout ! Comment est votre chalet ? Vas-tu travailler avec Marilou ? Est-ce qu'elle a reparlé un peu à Tam-Tam Boy ?

Moi, je suis au chalet, il fait beau et je me fais bronzer ! Je suis déjà rendue au deuxième tome de *Hunger Games*, parce que j'ai du temps en masse pour lire. Ça fait du bien d'être loin de la ville, loin de l'école et loin de Maude et des nunuches ! Katherine m'a d'ailleurs raconté sa soirée de samedi. Ça me décourage au plus haut point. Je sais que tu n'as jamais connu Maude sous son meilleur jour, mais dis-toi que c'est comme si nous avions perdu une de nos très bonnes amies d'enfance. Je ne sais pas ce qui lui arrive... Il paraît que des fois, les amitiés s'effritent avec le temps. Il faut croire que c'est vrai.

Alex m'a aussi écrit ce matin. Il est rentré du Saguenay hier soir. On est censés se voir en fin de semaine pour aller au cinéma. Il me reste au moins un bon ami à Montréal! Lol!

Bon, je retourne à ma lecture. Écris-moi dès que tu peux!
Jeanne xx

À : Jeanneditoui@mail.com
De : Léa_jaime@mail.com
Date : Lundi 30 juin, 16 h 20
Objet : Humiliation totale

Coucou!
Contente de voir que ma misère te divertit! Je poursuis donc mon récit! Lors de notre super réunion de groupe, les moniteurs nous ont tous attribué un nom de totem.

Comme Marilou s'est déjà fait remarquer par son franc-parler et que Cédric (Tam-Tam Boy) la connaît un peu, ils lui ont attribué le nom de Brise Franche, ce que je trouve quand même *cool* comparé au mien. Veux-tu rire? Comme j'ai attrapé un coup de soleil intense sur le nez et que Marilou a dit à tout le monde que je pouvais courir vite et grimper aux arbres (je n'ai pas grimpé à un arbre depuis l'âge de neuf ans, mais c'est vrai qu'avant j'étais plutôt douée et que j'aimais bondir entre les branches pour impressionner mes amis), Jolie Gazelle et Chouette Motivée ont proposé de m'appeler Écureuil Rôti. ÉCUREUIL RÔTI ! J'ai dit que je n'aimais pas mon nom. Je voulais trouver quelque chose qui me ressemble plus, comme Étoile Filante. Mais je n'ai pas réussi à convaincre les autres, parce que les enfants du groupe trouvaient ça mignon et qu'une des filles avait déjà adopté le nom d'Étoile Scintillante et « que ça risquait de mélanger tout le monde ». Je suis donc coincée avec Écureuil Rôti.

Je te jure que j'avais envie de pleurer. Marilou m'a proposé d'aller discuter quelques minutes pour que je me calme avant de poursuivre la réunion.

Elle (en souriant) : Allons, Léa ! Ce n'est pas la fin du monde ! C'est juste un surnom !
Moi (d'un ton offusqué) : C'est facile à dire pour toi, Brise Franche ! Ton nom est super *cool*, et tu as déjà un de nos moniteurs dans la poche !
Elle : Pas du tout ! Cédric m'a à peine regardée depuis que je suis arrivée. Je suis sûre qu'il me trouve *full* jeune et pas rapport. Et j'ai l'air d'une crevette à côté de Jolie Gazelle ! Elle m'énerve !
Moi (en riant) : Moi aussi, elle m'énerve ! En plus, je sens qu'elle va mettre le grappin sur Julien le ténébreux ! Elle n'arrête pas de le regarder !
Elle : Tu trouves ? Moi, je pensais que c'était Cédric qu'elle trouvait de son goût !

Moi : Lou, t'es vraiment dans la lune, parce que ton Cédric, il n'arrête pas de te regarder depuis hier ! Ça paraît vraiment qu'il est encore intéressé. Il est temps que tu ailles le voir pour briser la glace et pour lui faire comprendre que tu es libre et que tu es intéressée, toi aussi !

Elle : Moi ? Intéressée ? De quoi tu parles ? Je suis encore *full* en peine d'amour !

Moi : Je ne te dis pas que tu devrais te marier avec lui ! Mais je vois ça comme un signe du destin. Tu avais besoin de te changer les idées et BOUM ! Cédric apparaît devant toi, dans un camp au milieu de nulle part. Fonce, Lou ! Qu'est-ce que tu as à perdre ? Ça paraît qu'il te plaît encore. Je peux le voir dans tes yeux !

Elle : Mais si je m'approche trop de lui, il va remarquer que j'ai des broches.

Moi : Lou, il a déjà remarqué que tu as des broches ! Ce n'est pas comme si elles étaient invisibles ! Tu capotes, avec ça ! Ça ne change rien au fait que tu es super belle, et que Cédric te trouve *cute* quand même.

Elle : Mouais... Bon, si tu le dis ! Je pourrais peut-être aller lui parler après la réunion. D'ailleurs, on devrait y retourner avant qu'ils s'imaginent qu'on s'est enfuies dans la forêt !

Moi : Ouais, allons-y !

Elle : Hé, Léa ! ? Même si tu hais ton nom, tu es *cool* pareil ! Et on va essayer de trouver une activité de *wannabe* apprenties monitrices pas trop déprimante qui va te redonner le sourire !

Ses paroles m'ont un peu remonté le moral et j'ai regagné le groupe en souriant. Tout s'est gâché trois secondes plus tard.

Jolie Gazelle : Maintenant, je sais qu'il y en a parmi vous qui préféreraient participer aux activités des apprentis moniteurs plutôt qu'à celles des campeurs. Ça tombe bien, parce qu'on a justement besoin d'un coup de main sur le terrain.

Julien le ténébreux : En effet, on nous a informés qu'on avait besoin de deux personnes à l'animation pour le groupe des neuf à douze ans, et deux personnes pour aider à la cuisine.

Marilou : Léa et moi serions prêtes à aider à la cuisine, si c'est correct !

Chouette Motivée (en nous parlant comme si on avait trois ans d'âge mental) : Je comprends que ça vous tente de travailler ensemble, les filles, mais nous, on pense que ce serait mieux que vous soyez jumelées à quelqu'un d'autre, pour apprendre à mieux vous connaître !

Jolie Gazelle : Chouette Motivée a raison ! Ça vous permettra de créer de nouvelles amitiés ! Brise Franche, tu seras donc jumelée à Étoile Scintillante. Vous travaillerez toutes les deux dans la cuisine pour aider à la préparation de certains repas ! Écureuil Rôti, tu aideras le moniteur pour l'animation avec les plus jeunes, en compagnie Koala Timide (c'est Samuel, le gars de quatorze ans quand même gentil que j'ai mentionné dans mon courriel précédent).

Chouette Motivée : En gros, vous allez devoir suivre les instructions du moniteur et des autres apprentis, en les aidant pour l'organisation des jeux. Vous allez voir, les jeunes sont *full* allumés à cet âge-là ! Vous allez triper, gang !

J'ai regardé Chouette Motivée sans broncher. Non seulement je m'appelle Écureuil Rôti et je dois partager mes repas avec du monde plus jeune que moi, mais en plus, on m'a séparée de ma *best* et on me force à faire des animations avec des enfants de dix ans qui ne savent pas se tenir.

Marilou s'est approchée de moi et m'a serré la main.

Elle : Ça va aller, Léa. Ne craque pas !
Moi (d'un air crispé) : Lou ! Comment tu peux dire que ça va bien aller ?! Je suis pognée pour jouer à cache-cache avec des enfants de neuf ans qui vont m'appeler « Écureuil Rôti » !

Marilou s'est mordu la lèvre, puis a éclaté de rire. Ne sachant plus trop quoi faire, j'ai décidé de rire aussi. On a tellement ri qu'on s'est retrouvées toutes les deux par terre en se tenant le ventre. C'est alors que Tam-Tam Boy s'est approché de nous.

Tam-Tam Boy (en souriant) : Qu'est-ce qui est si drôle, les filles ?
Moi (en riant encore) : Ma vie en général ? Je m'appelle quand même Écureuil Rôti !
Tam-Tam Boy : Eh bien, si ça peut vous remonter le moral, je voulais vous inviter à une fête, demain soir. On organise un petit party au chalet que je partage avec Julien pour célébrer le début du camp. Comme vous allez travailler avec les moniteurs et les apprentis, vous êtes les bienvenues, si ça vous tente !

Il a dit ça en regardant Marilou droit dans les yeux.

Marilou : Oui, c'est sûr qu'on va être là.
Tam-Tam Boy : *Cool !*

Après ça, j'ai rejoint Koala Timide et nous sommes allés rencontrer les moniteurs et apprentis qui s'occupent des jeunes de neuf à douze ans pour qu'ils nous expliquent nos tâches. On commence dès demain matin, alors je pourrai te raconter en détail comment se déroulent mes journées.

Comme Marilou et moi ne travaillons pas ensemble et que nous n'aurons pas tout à fait les mêmes horaires, nous avons inventé un système de messagerie sur le babillard de notre chalet ! C'est une façon de rester en contact, même sans nos cellulaires !

Notre chalet est très modeste : deux lits de camp, deux petites tables de chevet, un sofa qui semble dater des années 1920, un bureau et un babillard qui nous sera bien utile durant tout le séjour. Jusqu'à maintenant, je dors plutôt bien malgré les bruits bizarres qui proviennent de l'extérieur. J'évite de boire avant de me coucher pour ne pas à avoir à faire pipi dans la bécosse en plein milieu de la nuit ! Lol !

Je te laisse. Je veux prendre une douche avant que la salle de bain soit envahie par les enfants.

Je t'écris bientôt pour te raconter la suite de mes super aventures ! J'espère te divertir presque autant que *Hunger Games* !
Léa xox

À : Katherinepoupoune@mail.com
De : Léa_jaime@mail.com
Date : Mardi 1er juillet, 8 h 48
Objet : Besoin de tes ondes !

Salut, mademoiselle l'Américaine !
J'espère que ton voyage en auto s'est bien déroulé et que tu profites déjà de la plage pour moi.

Je t'écris rapidement, car je sors de la douche et je dois vite me rendre au lac Bouette (beurk!) pour animer des activités avec des préadolescents. Je travaille avec le groupe de 10 h à 15 h tous les jours. Marilou va s'occuper de la préparation du souper de 15 h à 18 h 30, ce qui veut dire qu'on se verra à peine. On a donc décidé de se laisser des petits messages sur le babillard du chalet pour se raconter nos potins de la journée!

Lou va travailler avec Étoile Scintillante, une fille de notre groupe qui a quatorze ans et qui m'énerve un peu. Elle est gentille, mais elle nous colle souvent, Marilou et moi. Et comme elle va passer toutes ses journées avec Lou, j'aimerais qu'elle nous laisse parfois un peu seules.

Je suis contente que tu aies pris la défense de Jeanne et que tu aies remis José à sa place! Non, mais! C'est quoi, son problème? Qu'il se calme les hormones! Lol! Je trouve ça quand même triste de le voir *cruiser* tout ce qui bouge, alors qu'il sort avec Maude. Je ne comprends pas qu'avec son caractère, elle puisse tolérer qu'il agisse comme ça. Tu sais, même si Maude m'a vraiment blessée et que je ne lui ferai jamais confiance, j'ai déjà eu l'impression qu'elle avait un bon fond, alors j'imagine que ce doit être un choc pour vous de la voir changer à ce point-là!

Bon, je dois déjà filer, le devoir m'attend. J'espère que tu t'amuses et donne-moi vite des nouvelles !
Léa xox

1er juillet, 9 h 37

Salut, Lou!
Tu dors vraiment dur, et je n'ose pas
te réveiller, mais je dois déjà filer au lac
Bouette. Koala Timide m'attend dehors.
Bonne chance pour la préparation de ton
premier repas! Je t'aime, et j'ai hâte de
te voir tantôt!
Léa xox

P.-S.: En plus, on a droit à notre premier
party ce soir! Wou-hou!

À : Marilou33@mail.com
De : Stephjolie@mail.com
Date : Mardi 1er juillet, 14 h 30
Objet : TU ME MANQUES !

Lou ! T'es loin et je m'ennuie, bon ! Seb est déjà rendu à Québec ; Laurie est partie ce matin pour deux semaines dans son camp d'immersion en anglais ; et moi, je suis pognée toute seule dans notre trou ! ☹

Seb est parti hier. Même s'il ne sera absent que deux semaines, je n'ai pas pu m'empêcher de pleurer. Il a plein d'amis et de cousins à Québec, et je sens que les journées vont passer vraiment plus vite pour lui que pour moi. J'ai hâte à l'an prochain, car au moins, je pourrai travailler pour m'occuper, et même prendre des cours de conduite ! La vraie vie commence vraiment à seize ans ! Lol !

Dimanche soir, Seb a décidé d'organiser une petite fête chez lui avec le reste de sa gang. Sarah, Géraldine (ou « la nunuche aux cheveux rouges ») et Odile (ou la « nunuche aux cheveux bleus ») étaient au rendez-vous. Comme tu m'as demandé de tout te raconter, je t'annonce que Géraldine a officiellement un gros *kick* sur JP. C'est Sarah qui me l'a confirmé. Elle pense encore que je suis son amie et me donne beaucoup trop de détails sur sa vie. La bonne nouvelle, c'est que Seb m'a dit que JP n'était pas intéressé. Il a encore beaucoup de peine à cause de toi. Il paraît qu'il veut rester célibataire. Le soir du party, il m'a d'ailleurs demandé de tes nouvelles. Tu vas être fière de moi, car j'ai réussi à mettre un doute dans son esprit !

Lui : Hey, Steph ! As-tu des nouvelles de Marilou ? Sais-tu si ça se passe bien au camp ?

Moi : Oui, elle m'a écrit hier. Il paraît que ça va bien. (J'en ai mis un peu !) Elle et Léa partagent un chalet et elles sont genre monitrices. (OK... J'en ai mis beaucoup !) Il paraît même qu'elle est tombée par hasard sur un ami qui est moniteur, lui aussi.

Lui : Hein ? Elle est monitrice ? Mais Marilou n'a aucune expérience là-dedans ! (Oups !)

Moi : Ben... Elle a son petit frère qu'elle garde tout le temps.

Lui : Ouais, mais quand même ! Je n'imagine tellement pas Lou et Léa en train de motiver des enfants et de faire des rondes de l'amitié... Et... C'est qui cet ami-là ? Ça ne me dit rien, il me semble.

Moi : Ben, il faut croire qu'elles avaient un talent caché ! (Ha, ha, ha !) Pour son ami, c'est normal que tu ne le connaisses pas. C'est un gars qu'elle a connu au camping l'an passé, je pense. Il n'habite pas ici.

Lui : Attends... Est-ce que tu parles du gars qu'elle a genre *frenché* l'an passé ?

Moi : Ah, ben, je ne sais pas trop. Je n'ai pas les détails...

Lui (en fronçant les sourcils): *Come on*, Steph, essaie de te rappeler! C'est quoi, donc, son nom? Ça ressemble à Éric...

Moi: Ah oui! Cédric!

Lui (d'un ton nerveux): C'est ça! Cédric! C'est lui?

Moi: Je pense que oui.

Lui (en serrant les poings): Merde.

Moi (en faisant l'innocente): Qu'est-ce qui se passe?

Lui (en me regardant comme si j'étais la pire des dindes): Ben, là! Ce n'est pas parce qu'on a cassé que j'ai envie de l'imaginer dans les bras de machin-chose! En sais-tu plus?

Moi: Désolée, JP. Je sais juste qu'elle est tombée sur lui par hasard.

Comme je ne tenais pas à m'embrouiller plus dans mes mensonges, je suis allée rejoindre Laurie un peu plus loin. Il a semblé perturbé le reste de la soirée. J'aurais pu éviter de lui donner cette information, mais c'était plus fort que moi. Je trouve qu'il aurait dû se réveiller plus tôt. Une partie de moi avait envie qu'il souffre un peu! ;)

Tu diras à Léa que Thomas a aussi demandé comment elle allait. J'allais lui répondre quand Sarah est venue nous interrompre avec un air vraiment offusqué.

Sarah: Pourquoi tu lui demandes comment va ton ex? On s'en fout de Léa!

Thomas : Relaxe, Sarah ! Je ne m'en fous pas, moi ! Et j'ai le droit de prendre de ses nouvelles.

Moi (un peu mal à l'aise) : Euh... Elle va bien, je pense. Elle est dans un camp avec Marilou.

Sarah (avec un air de *bitch*) : Un camp pour filles désespérées ?

Thomas : OK, c'est assez Sarah.

Sarah : Ben, c'est ça ! Prends donc sa défense ! Pourquoi tu ne retournes pas avec elle, tant qu'à y être ? !

Laurie (qui a surgi de nulle part) : Parce qu'elle habite loin. Sinon, c'est sûr qu'ils seraient encore ensemble.

Moi (en faisant des gros yeux à Laurie) : Laurie ! Chut !

Sarah est restée un peu bouchée. Elle ne s'attendait pas à une réplique aussi cinglante de la part de Laurie. Elle s'est enfuie en pleurant, et Thomas s'est lancé à sa poursuite... Soupir. Il y a des choses qui ne changeront jamais !

Et toi, quoi de neuf ? Comment ça se passe au camp ? Est-ce que tu travailles comme apprentie monitrice, finalement ? Est-ce que tu as reparlé à Cédric ? Est-ce qu'il te drague encore ?

Écris-moi vite !
Steph xxx

1er juillet, 14 h 55

Coucou!
J'espère que ta première journée se
déroule bien! Moi, j'ai fait la grasse
matinée, puis je suis allée me balader avec
Dominique (Étoile Scintillante). Elle est
vraiment *cool*, alors je suis contente de
pouvoir travailler avec elle. Je suis sûre
que tu t'entendrais bien avec elle! Tu
auras la chance de la connaître un peu
plus au party ce soir!

Parlant de ça, j'ai eu une belle surprise
ce matin en rentrant dans notre chalet
après ma douche. Cédric m'attendait près
de la porte. Il voulait « prendre de mes
nouvelles et s'assurer que j'allais venir ce
soir ». Je pense que tu avais raison : il est
encore intéressé! Yé! Ça me remonte le

moral, surtout après le courriel de Steph
que je viens de lire. Elle a dit à JP que j'étais
tombée sur lui au camp. Il paraît que JP était
full jaloux. Je devrais me réjouir, mais le
simple fait de lire son nom dans un courriel
me met encore tout à l'envers. ☹

Bon, je file, mais on se voit à la cafétéria à
19 h pour le souper. On viendra se préparer
ici après! Je voulais emprunter ta veste
rouge et blanche pour aller avec mes leggings
noirs. Je pense que tu devrais mettre ta
nouvelle robe à petites bretelles. Trop *cute*!

Je t'aime!
Lou xx

À : Jeanneditoui@mail.com
De : Léa_jaime@mail.com
Date : Mercredi 2 juillet, 7 h 44
Objet : Coup de malchance !

Salut !
Je te réécris immédiatement la suite de mes aventures...
Hier soir, nous avons été invitées à un party avec les moniteurs et quelques-uns des apprentis. C'était au chalet que Julien le ténébreux partage avec Cédric (Tam-Tam Boy). C'est beaucoup plus spacieux et douillet que le nôtre !

Il y avait une quinzaine d'autres moniteurs que je ne connaissais pas, mais je dois dire que Julien est de loin le plus beau. J'avais mis une robe rayée à bretelles vraiment *cute* pour essayer d'attirer son regard, mais il a passé la soirée à discuter avec Jolie Gazelle et Soleil Éclatant, une autre rousse qui m'énerve parce qu'elle est trop belle.

J'essayais de parler et de rire un peu plus fort pour attirer son attention, mais comme ça ne fonctionnait pas, je me sentais vraiment humiliée. Koala Timide s'est rendu compte que j'avais l'air bizarre.

Lui : Qu'est-ce qui se passe ? Pourquoi tu ris comme ça ?

Moi : Si je te le dis, tu me promets de ne pas rire de moi ?

Lui : Promis.

Moi : J'ai un *kick* sur Julien, notre moniteur.

Lui (en baissant la tête) : Oh... Je vois.

Moi : Qu'est-ce qu'il y a ? Tu me trouves cruche, hein ?

Lui : Ben, non ! C'est normal... C'est le beau gars du camp ! Je trouve juste ça poche que ce soit toujours les mêmes gars qui attirent les filles.

Moi : Ben là, c'est pareil pour vous ! C'est toujours les mêmes filles qui attirent les gars ! Ne viens pas me dire que Jolie Gazelle ne te fait pas un peu d'effet !

Lui (en l'observant) : Hum... Elle est jolie, mais elle n'est pas vraiment mon genre.

Moi : Ah, ouais ? Alors c'est quoi « ton genre » ?

Il allait répondre, mais Marilou nous a interrompus.

Lou (en s'asseyant à côté de nous) : Léa, je capote ! Cédric m'a offert une bière et j'ai la tête qui tourne un peu !

Moi : Coudonc, il me semble qu'il a le don de te faire boire, ce gars-là !

Lou (d'un air tout énervé) : Je sais ! C'est ça que j'aime chez lui ! Parfois, il a des tendances un peu *bad boy* ! Je suis sûre que tu me comprends, Léa ! Après tout, tu aimes ça, toi aussi, les *bad boys* !

Koala Timide : Ah ! C'est aussi ça, ton genre ?

Lou (en dévisageant Koala Timide) : Ben, oui ! Tu devrais voir son ex ! Un genre de gars bien sombre qui lui a brisé le cœur. Et là, elle a décidé de s'enticher de Julien le ténébreux !

Moi : Ben là, je ne pense pas que Julien soit très *bad boy* !

Lou (en gesticulant beaucoup) : *Bad boy*, ténébreux... Même affaire ! Tout ça pour dire que Cédric m'a offert une bière. Puis on est allés discuter dehors pendant une trentaine minutes ! Il m'a dit que ce serait le *fun* que je reste un peu plus tard, ce soir. Genre après que les autres soient partis ! Je capote !

Moi (en fronçant les sourcils) : Hum... Mouais, mais fais attention, Lou. Il a l'air un peu crosseur, ce gars-là !

Lou : Ben là ! C'est toi qui m'as dit de sauter sur l'occasion !

Moi : Oui, mais je pensais pas qu'il allait carrément t'offrir de rester à dormir dans son lit !

Lou : Ben non, voyons ! Je ne suis pas nouille ! Je ne me laisserai pas charmer à ce point-là ! Bon, venez-vous ? Soleil Éclatant a proposé de jouer à la bouteille ! C'est un peu bébé comme jeu, mais si ça me donne la chance d'embrasser Cédric, je ne dis pas non.

Koala Timide : Je vais passer mon tour. En fait, je pense que je vais rentrer. Amusez-vous bien, les filles.

Moi : Mouais... Je vais peut-être rentrer avec Koala. Je n'arrête pas de me caler en riant trop fort pour attirer l'attention de Julien, mais ça ne sert à rien. Ce n'est juste pas ma soirée.

Lou (d'un air piteux) : Léa, s'il te plaît ! Tu ne peux pas me laisser seule ! Si tu restes, je te promets de rentrer avec toi dès que le jeu sera terminé ! Comme ça, tu seras certaine que je ne me fais pas avoir par Cédric !

Moi : Bon, OK.

J'ai dit au revoir à Koala Timide et je suis allée m'asseoir en cercle avec les autres. La vérité, c'est que j'espérais avoir la chance d'embrasser Julien, mais la première ronde s'est révélée plutôt désastreuse : Julien a embrassé une monitrice ; Marilou a embrassé un apprenti *nerd* et moi, j'ai embrassé... Tam-Tam Boy. :(Quand la bouteille s'est arrêtée devant lui, j'ai tout de suite regardé Marilou, qui m'a fait de grands yeux. Tout le monde s'est mis à applaudir et à m'encourager.

Moi (en bafouillant, comme d'habitude) : Mais... Je ne pense pas que ce soit... Euh !...

Cédric avait un air impassible. Je pense qu'il sentait mon malaise et celui de Marilou, mais qu'en même temps, il ne voulait pas perdre la face devant tous ses amis.

J'ai répondu à Marilou en haussant les épaules avec un air désespéré. Finalement, Cédric s'est avancé vers moi et ne m'a pas donné d'autre choix que de l'embrasser.

J'ai gardé les lèvres bien fermées pour être certaine que ça demeure au stade du baiser chaste, mais quand même.

Quand il s'est reculé, j'ai vu Marilou qui me regardait bizarrement. Elle avait l'air blessée et déçue. J'ai prétexté une envie de pipi pour fuir la ronde en espérant que Marilou me suive et qu'on puisse s'expliquer, mais elle n'est jamais venue me rejoindre.

Quand j'ai finalement regagné le cercle, elle n'était plus là, elle non plus. Je suis sortie, et je l'ai vue en train de discuter avec Étoile Scintillante.

Moi : Lou ! Je te cherchais partout. Je suis désolée, pour le bec ! J'ai essayé de l'arrêter, mais je ne savais pas trop comment m'en sortir.

Lou (en me regardant d'un air outré) : Ben là ! Tu aurais pu partir ou lui dire que tu étais mal à l'aise !

Moi : Ouais... mais tout le monde aurait su que c'était à cause de toi et que tu avais un *kick* dessus ! Comprends-moi ! Je n'avais pas d'autre choix !

Lou (en haussant le ton) : Oui, tu avais le choix. On a toujours le choix, dans la vie. Moi, je n'aurais jamais pu embrasser un gars en sachant que ça te fait de la peine !

Étoile Scintillante : Je ne veux pas me mêler de vos affaires, les filles, mais même si je sais que Léa n'a pas songé à une autre solution sur le coup, je comprends quand même que Marilou soit fâchée.

Moi (en la dévisageant) : Justement, ce n'est pas de tes affaires ! Et de toute façon, qu'est-ce que tu essaies de dire ? Que tout le monde a raison et tout le monde a tort ? Ce n'est pas comme ça que ça va s'arranger...

Lou (en soupirant) : Ce n'est pas ce soir non plus que ça va s'arranger, Léa. Je suis trop de mauvaise humeur, et la bière m'a donné mal à la tête. Je vais aller me coucher. Dominique (Étoile Scintillante), tu veux rentrer avec moi ?

J'ai regardé ma meilleure amie me tourner le dos et partir bras dessus, bras dessous, avec sa nouvelle «best». Tout ça à cause d'un jeu débile et d'un coup de malchance. Après ça, j'ai décidé de faire une marche jusqu'au lac pour me détendre. Quand je suis retournée au chalet, j'ai vu que Marilou dormait déjà. Comme elle dormait encore ce matin quand je suis partie, je n'ai toujours pas eu la chance de m'expliquer avec elle. Je ne sais pas quoi faire. Je sais que ce n'est pas *cool* comme situation, mais je n'ai quand même pas fait exprès pour attirer la bouteille vers lui !

J'espère avoir de tes nouvelles aujourd'hui. Je n'aime pas ça, me chicaner avec Marilou. ☹

Bon, j'y vais. C'est l'heure d'aller divertir les jeunes. (Hier, ce n'était pas si mal. On a passé la journée à organiser une grande chasse au trésor. Et c'est quand même *cool* d'être jumelé avec Koala, surtout depuis qu'il s'est dégêné avec moi.)

Léa xox

Chapitre 3
Étoile Énervante

Le Blogue de Manu

Inscris un titre: Bouteille

Écris ton problème: Salut, Manu! J'espère
que tu vas bien! Maintenant que je sais que
tu donnes les meilleurs conseils au monde,
je voulais te demander ton avis à propos d'un
truc... Le problème, c'est que je suis dans un
camp avec ma *best*, et que, hier, j'ai embrassé
le gars sur qui elle avait un *kick* en jouant à
la bouteille. Je ne voulais vraiment pas que ça
arrive, mais tout le monde nous regardait, et
si je refusais, je devais expliquer que c'était
parce que mon amie tripait sur lui!
Je sais que ça lui a fait de la peine et qu'elle
est fâchée contre moi, mais je ne sais pas quoi
faire, ni quoi lui dire pour qu'elle me pardonne!
☹ Aide-moi!
Léa xox

*Manu répond à deux questions par semaine. Tu seras
peut-être choisie...*

2 juillet, 8 h 40

Coucou,

J'aurais vraiment aimé ça qu'on discute
avant que j'aille divertir les enfants, car
disons que je ne me sens pas trop d'humeur
pour chanter des chansons en frappant
des mains. Je suis vraiment sincèrement
désolée pour hier. Tu sais que je t'aime et
que je ne voudrais jamais te faire de la
peine intentionnellement. Je sais aussi que tu
es orgueilleuse, mais je ne veux pas que tu
m'en veuilles pour le reste de notre séjour
ici. Je veux qu'on se fasse du *fun,* qu'on
rigole et qu'on s'arrange pour que ça clique
entre Cédric et toi. Selon ce que tu m'as
raconté hier, je crois que c'est déjà dans
la poche... et je sais que le baiser qu'on a
échangé ne changera rien à cela. C'était un
jeu débile, Lou... Et c'est le fruit du hasard!

Pardonne-moi, OK ?

Je te laisse, Koala m'attend.
Léa xox

P.-S. : Je sais que tu l'aimes bien, mais je n'ai pas apprécié qu'Étoile Scintillante se mêle de nos affaires. Mais si tu t'entends bien avec elle, je suis prête à faire un effort pour apprendre à mieux la connaître.

À : Léa_jaime@mail.com
De : Jeanneditoui@mail.com
Date : Mercredi 2 juillet, 10 h 46
Objet : Re : Coup de malchance !

Pauvre Léa ! Ou devrais-je dire : pauvre Écureuil Rôti !
Décidément, ce n'est pas ta semaine de chance ! On te
colle un nom d'animal calciné, on te sépare de Marilou,
tu dois faire de l'animation avec des enfants hyperactifs
et tu embrasses sans le vouloir le gars que ton amie
aime ! C'est débile, le jeu de la bouteille ! Je sais bien
que tu n'as pas voulu faire de peine à Marilou et que tu
n'as pas fait exprès pour que ça tombe sur lui ! Je suis
certaine que Marilou va finir par comprendre !

Je te suggère de lui parler après ta journée de travail
et de mettre les choses au clair avec elle, sans
qu'Étoile Énervante soit là (c'est le petit surnom que
j'ai décidé de lui donner ! Lol !) Pour le reste, aussi
bien en rire qu'en pleurer. Je pense que c'est une
leçon que tu as su tirer cette année à l'école !

Quant à Julien le ténébreux, je pense qu'il est niaiseux
de ne pas t'accorder le moindre regard. C'est quoi,
leur problème, aux gars ? Le voisin de mon chalet, que
je trouve aussi très *cute*, a seize ans et il me traite
également comme si j'étais une enfant de maternelle !
Al-lo ! J'ai juste un an et demi de moins que lui ! Est-
ce que c'est si grave que ça ? Ma mère m'a dit qu'en

vieillissant, la différence d'âge a de moins en moins d'importance. Je pense que c'est censé me consoler, mais en attendant, je suis coincée dans l'adolescence et les gars qu'on trouve mignons ne veulent rien savoir de nous à cause de ça ! Soupir.

Ici, ça commence à devenir ennuyant de regarder le lac (et le voisin) sans qu'il ne se passe rien. J'ai hâte de retourner en ville, vendredi matin. Alex m'a invitée dans un party de son ami Alexis (oui, le même sur qui j'avais un *kick* avant) vendredi soir, alors ça va mettre un peu d'action dans ma vie !

Écris-moi plus tard pour me raconter si les choses se sont arrangées avec Marilou. Je sais que tu te sens impuissante, mais je suis certaine qu'elle va finir par entendre raison !
Jeanne xxx

À : Léa_jaime@mail.com
De : Alex514@mail.com
Date : Mercredi 2 juillet, 15 h 22
Objet : Mon petit rongeur !

Coucou, mon petit Écureuil Rôti !
OUI ! Jeanne m'a tout dit, mais ne lui en veux pas ! Je voyais bien qu'elle avait reçu des informations inédites sur ton séjour au camp, et j'ai voulu lui tirer les vers du

nez ! Mon pauvre petit rongeur chéri, tu me manques beaucoup ! Lol !

À Montréal, il n'y a pas grand-chose de nouveau. Jeanne et toi me manquez beaucoup, mais j'en ai profité pour faire la fête avec mes chums. Ils commençaient d'ailleurs à trouver que je traînais un peu trop avec des filles ! ;) Alexis organise un gros party ce soir. Dommage que tu rates ça. Je me suis permis d'inviter Éloi pour lui changer les idées. Ne va pas croire qu'il écoute des slows en pleurant tous les soirs, mais disons qu'il se sent un peu seul depuis que vous avez cassé, et comme tu n'es pas en ville, j'ai décidé de lui donner un petit coup de main. J'espère que c'est correct avec toi ! Tu le sais que dans mon cœur, il n'y a de la place que pour un seul petit rongeur rôti !

Bon, je te laisse, mais donne-moi un peu de tes nouvelles au lieu de te laisser désirer (ah, les filles !).
Alex

2 juillet, 14 h

Salut,
Merci pour ton message, et merci de ne pas
m'avoir réveillée ce matin. Tu me connais, je
pense que j'aurais encore plus pogné les nerfs. ;)

Je sais bien que tu n'as pas fait exprès pour
que la bouteille s'arrête devant Cédric, et que
sur le coup, tu n'as pas pensé à une autre
façon de t'en sortir sans trahir mon intérêt
pour lui, mais on dirait que ça ne m'empêche
pas d'être blessée.

J'aimerais que notre amitié soit au-dessus de
tout ça, tu comprends? Qu'il n'y ait jamais
d'accrochages à cause des gars comme
Thomas ou Cédric. J'essaie de me ressaisir et
de passer l'éponge, mais bon, tu me connais,
des fois ça me prend un peu de temps.

Je dois filer, car Dom m'attend dehors. On s'en
reparle ce soir, si tu veux!
Lou xox

2 juillet, 19 h 45

Salut, Lou!
Je comprends que tu sois déçue. Moi aussi,
j'aimerais que notre amitié ne soit pas
perturbée par des histoires de gars. Je
m'excuse encore pour Cédric, et j'espère
que tu pourras passer l'éponge rapidement,
parce que tu me manques déjà.

D'ailleurs, je t'attends depuis tantôt dans
notre chalet, mais tu n'es pas là. Je ne
t'ai pas vue non plus à la cafétéria. Koala
m'a proposé d'aller faire un tour au chalet
de Julien le ténébreux; ils font griller des
guimauves et jouent de la guitare. J'espère
te retrouver là-bas.
Léa xox

2 juillet, 23 h 30

Salut!

Désolée pour ce soir. Comme je ne filais
pas trop, Dom m'a proposé d'aller écouter
de la musique dans son chalet dès qu'on a
eu terminé notre travail dans la cuisine. Je
n'avais pas trop le cœur à revoir Cédric
et à chanter des chansons avec tout le
monde, alors je suis restée chez elle.

Je vais me coucher, mais on se parle
demain.

Lou xox

À : Jeanneditoui@mail.com
De : Léa_jaime@mail.com
Date : Vendredi 4 juillet, 15 h 44
Objet : Écureuil Lessivé !

Salut !

Désolée de ne pas t'avoir écrit avant, mais mes journées sont pas mal plus occupées que je ne le croyais. Quand je termine, j'aime bien m'isoler quelque part pour me détendre et m'éloigner le plus possible des cris des enfants. Le problème, c'est qu'on ne peut pas dire que je sois en parfaite harmonie avec dame Nature. Chaque fois que je m'assois sur une roche pour respirer l'air frais et essayer de faire le vide, je me fais attaquer par une mouche noire, une abeille ou un gros écureuil (Ce n'est pas parce qu'on me surnomme comme ça que je les aime plus qu'avant !).

Avec Marilou, les choses sont encore tendues depuis l'épisode de mardi. Elle passe presque tout son temps avec Étoile Énervante (j'approuve le surnom), et j'ai l'impression qu'elle m'évite. Hier soir, je me suis enfin retrouvée seule avec elle dans le chalet et j'ai essayé de mettre les choses au clair, mais elle m'a dit qu'elle n'avait pas envie de parler de ça et elle s'est mise à lire son roman. :(Peut-être que c'est moi qui hallucine, mais j'ai l'impression que sa nouvelle amie Dominique lui met des idées dans la tête. Le pire, c'est que chaque fois que je la croise, elle me sourit et elle agit comme une fille super gentille, ce qui fait que c'est dur de la détester, mais elle m'énerve quand même d'essayer de me voler Marilou.

Je passe donc beaucoup de temps avec Koala Timide. J'ai beaucoup appris à le connaître au cours des derniers jours. Premièrement, nous n'avons que six mois de différence, alors il est moins « jeune » que je le pensais. Après avoir lu ton dernier courriel, j'ai réalisé que j'étais aussi pire que les gars qui nous prennent pour des bébés, et j'ai décidé de traiter Koala en égal ! ;) Il habite en banlieue de Montréal. Il vient juste de casser avec sa blonde avec qui il sortait depuis un an. Il m'a parlé de sa peine d'amour (C'est elle qui l'a laissé pour sortir avec un gars populaire. Argh !), et il m'a vraiment impressionnée par sa maturité. Je me suis rendu compte que c'était vraiment *cool* de pouvoir être aussi honnête et moi-même avec un gars. Comme il ne m'intéresse pas, je ne cherche pas à l'impressionner. C'est tout nouveau pour moi. Ça me fait réaliser que l'amitié entre les gars et les filles existe vraiment ! Évidemment, j'ai été très proche d'Éloi, mais on a vu où ça nous a menés... Et il y a Alex ! Mais j'ai l'impression que notre amitié est vraiment basée sur notre trio, et comme il s'est déjà passé quelque chose entre nous, je ne peux pas dire qu'il ne m'a jamais fait d'effet, non plus ! Lol ! Mais c'est terminé maintenant, et ma relation avec Koala me donne bon espoir de pouvoir tisser des liens aussi étroits avec Alex !

C'est aussi très *cool* de travailler avec Koala, car les enfants sont de plus en plus insupportables. Les moniteurs et les apprentis s'occupent d'organiser les activités et de prendre les décisions, mais ensuite, c'est à nous de les contrôler et de les surveiller pendant cinq longues heures. Il y a deux garçons de dix ans dans le groupe qui sont particulièrement impossibles. Ils n'arrêtent pas de faire des blagues déplaisantes en se tapant les cuisses, et ça me met vraiment mal à l'aise. Je n'ai jamais eu de petit frère ou de petite sœur, je n'ai jamais vraiment gardé d'enfants et je réalise maintenant que j'ai pas trop la fibre maternelle, ni l'esprit de leader, comme Chouette Motivée. C'est donc Koala qui gère les énervants, et moi, je m'occupe davantage des filles. Mais quand la journée se termine, je me sens littéralement lessivée. J'ai pris l'habitude de me balader avec Koala et de lire un peu avant le souper, et en soirée, je fais mon possible pour essayer de croiser Marilou et arranger les choses.

Et toi ? C'est aujourd'hui que tu rentres à Montréal, non ? J'espère que tu t'amuseras comme une folle ! Raconte-moi tout dès que tu seras arrivée ! ;)
Léa xox

4 juillet, 23 h 44

Coucou!
Désolée encore pour ce soir! Je sais qu'on
s'était dit qu'on passerait la soirée ensemble,
mais j'ai eu un petit imprévu! Je marchais
vers le chalet après le souper, et Cédric
m'a interceptée, et m'a invitée à me joindre
à lui autour du feu...

J'ai tout plein de choses à te dire! On a
congé demain, alors attends-moi si tu
te lèves la première. Ça nous donnera la
chance de nous expliquer. Et je pourrai te
raconter mes potins!

Lou xox

À : Stephjolie@mail.com
De : Marilou33@mail.com
Date : Samedi 5 juillet, 10 h 30
Objet : Des potins !

Salut, Steph !
Tant de choses sont survenues depuis mon arrivée ici, mais je tiens d'abord à te remercier pour ton intervention auprès de JP. Je sais que ce n'est pas ton genre de jouer les intermédiaires, mais j'apprécie vraiment le geste. Tant mieux s'il se morfond tout l'été en s'imaginant le pire ! Avec raison, d'ailleurs !

Bon, je commence ! Mardi dernier, il y a eu un petit party avec les moniteurs et les apprentis au chalet de Cédric et Julien (un des moniteurs que Léa trouve *full* beau et qu'elle essaie de draguer). Ce soir-là, une des monitrices a eu l'idée débile de jouer à la bouteille. J'ai réussi à convaincre Léa de jouer avec moi. Je me suis dit que ça me donnerait peut-être l'occasion d'embrasser Cédric sans devoir lui avouer que je le trouvais encore mignon.

Mais la soirée s'est transformée en cauchemar. Julien a complètement ignoré Léa. Et quand son tour à elle est venu de faire tourner la bouteille, le goulot a pointé vers Cédric. Ce qui m'a fait de la peine, c'est que Léa a décidé de l'embrasser. Elle m'a répété mille fois qu'elle ne savait pas quoi faire d'autre, que tout le monde lui mettait de la pression et que si elle avait refusé, elle aurait dû révéler que c'était parce que j'avais un *kick* sur lui, mais ça ne m'a pas empêché de me fâcher contre elle. On s'est un peu expliquées depuis, mais je ne peux pas dire que je m'en sois complètement remise. Je sais que c'est niaiseux, mais une partie de moi interprète ce jeu débile comme une trahison. Je pensais que mon amitié avec Léa était au-dessus de ça.

En même temps, je réalise que je dramatise un peu. Au fond, Léa n'a pas cherché à l'embrasser. Plus j'y pense, et plus je crois que ce sont mes vieilles frustrations contre elle à la suite de son histoire avec Thomas qui refont surface. Je ne peux m'empêcher de trouver qu'elle manque de jugement lorsqu'il est question des gars...

Cela étant dit, ça m'a vraiment fait de la peine de m'éloigner d'elle, cette semaine. J'ai aussi remarqué que Léa avait l'air *full* triste, surtout depuis que je passe plus de temps avec Dominique (Étoile Scintillante), la fille avec qui je travaille à la cafétéria. C'est une fille *full* gentille qui me change les idées, mais je ne veux pas non plus que Léa se sente abandonnée ou qu'elle croie que je suis en train de la remplacer.

Je pense que Léa est un peu jalouse de Dom. Au fond, je la comprends ! Si Koala Timide (le gars avec qui elle se tient beaucoup depuis qu'on est ici) était une fille et qu'elles étaient inséparables, ça me taperait sur les nerfs, moi aussi.

Plus je t'écris, et plus je me rends compte que je devrais changer d'attitude avec Léa et lui dire carrément ce qui m'a énervé. Après tout, on est amies depuis trop longtemps pour laisser un gars s'immiscer entre nous. Elle est assise à côté de moi dans le local d'informatique en ce moment, alors je vais lui proposer de discuter dès que j'aurai fini de t'écrire.

Passons maintenant aux potins joyeux! Hier soir, Cédric m'a interceptée alors que je rentrais au chalet. J'ai voulu avoir l'air indifférente et indépendante, puisque je l'ai vu embrasser des filles devant moi au jeu de la bouteille et qu'il m'a laissée tomber deux fois l'an passé, mais je pense que les étincelles dans mes yeux m'ont trahie. Il m'a offert de l'accompagner à son chalet pour qu'on se fasse un feu et qu'on discute. Une fois arrivée là-bas, il s'est assis tout près de moi.

Lui : Alors, comment ça va ?
Moi : Pas mal. Mais comme tu peux le voir, j'ai maintenant des broches.
Lui : Je trouve ça *cute*, en fait !
Moi : Pfff !
Lui : Je te jure ! Et ce n'est pas ça qui m'intéresse... As-tu un chum ?

Moi : Euh... Non. J'avais un chum plutôt sérieux, mais on s'est laissés juste avant que j'arrive ici.

J'ai baissé la tête. Je n'avais pas envie de parler de JP, ni de penser à lui. La vérité, c'est que ça me fait encore beaucoup de peine. Je ne suis pas venue jusqu'ici pour continuer à pleurer sur mon sort, ni pour me sentir nostalgique, alors que je suis en compagnie du gars le plus *cute* du camp. Je pense qu'il a capté mon moment de tristesse. Il a soulevé mon menton vers lui.

Lui : S'il ne réalise pas sa chance, c'est qu'il est con.
Moi (en souriant) : Merci.

Puis il m'a embrassée. Un long baiser passionné. Beaucoup mieux que celui qu'on avait échangé l'an dernier ! Disons qu'avec JP j'ai acquis un peu plus d'expérience.

On a passé le reste de la soirée à discuter, et s'embrasser, puis discuter, puis s'embrasser. Je sentais qu'il aurait voulu aller un peu plus loin, mais j'ai insisté pour qu'on reste dehors. Je le trouve beau, il me fait du bien, mais il y a des limites que je ne suis pas prête à franchir avec lui.

Je suis finalement rentrée au chalet vers 23 h 15, et ce matin, j'ai tout raconté à Léa, qui avait l'air sincèrement contente pour moi. :)

Bon, je te laisse, je crois qu'on va aller se baigner au lac, car on a congé aujourd'hui et qu'on est dues pour passer une journée de *BFF* ensemble.

Donne-moi de tes nouvelles !
Lou xox

À : Alex514@mail.com
De : Léa_jaime@mail.com
Date : Samedi 5 juillet 10 h 31
Objet : Petit rongeur fait de grands dommages !

Salut, toi !
Tu m'as fait rire avec tes petits mots attendrissants, même si tu ris un peu de moi !

Ici, tout est toujours aussi... angoissant. Il y a des mouches partout, des jeunes qui crient, des bécosses douteuses qu'on doit utiliser la nuit, des bruits bizarres qui proviennent de la forêt et une relation un peu tendue avec Marilou.

Je ne sais pas si Jeanne t'a raconté, mais j'ai embrassé le gars sur qui elle a un *kick* alors qu'on jouait à la bouteille. Ce n'est pas ma faute, quand même ! Marilou s'est fâchée contre moi, et depuis ce jour-là, elle n'arrête pas de se tenir avec une fille qui m'énerve et je me sens un peu seule.

La bonne nouvelle, c'est qu'elle a finalement embrassé le gars en question, hier soir, et que mon baiser lors du jeu de la bouteille n'a pas eu de répercussion sur leur histoire. Aujourd'hui, nous avons prévu passer une journée ensemble, alors j'espère que tout s'arrangera.

J'imagine que vous vous êtes bien amusés à la fête hier soir et que tu prends soin de Jeanne ! Vous me manquez beaucoup, tous les deux. J'ai déjà hâte de vous revoir et d'aller à La Ronde !

Je te laisse, car je dois appeler mes parents. Ils m'obligent à leur téléphoner deux fois par semaine pour que je leur assure que je mange bien, que je dors bien et que je ne me fais pas dévorer par des ours ! C'est à croire qu'ils manquent d'action quand je ne suis pas là ! ;)
Léa

À : Léa_jaime@mail.com
De : Katherinepoupoune@mail.com
Date : Samedi 5 juillet, 11 h 24
Objet : Trop *in luv* !

Salut, Léa jolie !
Je t'écris de sous le soleil ! Tu n'as pas idée de la façon dont les événements se sont bousculés depuis quatre jours !

Lors de ma première soirée ici, j'ai eu envie d'aller me balader un peu sur la promenade qui longe la mer. Je me suis assise sur un banc pour écrire dans mon journal, et il y a un gars (Mike) qui est venu s'asseoir à côté de moi. Il s'est vite rendu compte que j'étais francophone, et il trouvait mon accent trop mignon !

J'ai appris qu'il avait seize ans (j'ai le don pour les gars plus vieux), qu'il était aussi en vacances avec ses parents pendant deux semaines et qu'il vivait à Boston. On a décidé de se balader ensemble, et on a même fait un tour de grande roue ! On voyait la mer et c'était tellement romantique ! À la fin de notre promenade, il m'a demandé s'il pouvait m'embrasser. J'ai dit oui, et c'était magique ! On s'est donné rendez-vous le matin suivant sur la plage, et on ne s'est pas lâchés d'une semelle depuis !

Mes parents sont un peu découragés que je passe tout mon temps avec lui, et évidemment, mon père m'interdit de rentrer après 22 h « pour éviter que le p'tit gars aille trop loin », mais je profite quand même de chaque instant avec lui !

Je suis vraiment *in luv* ! Je sais que c'est bizarre de dire ça après quatre jours, mais c'est comme si on se connaissait depuis toujours, Mike et moi. Et il m'a complètement fait oublier Félix. Je suis vraiment sur un petit nuage (rose ! Lol !).

Et toi ? Quoi de neuf ? Est-ce que mes ondes t'ont aidée à traverser ta première semaine ? Comment ça se passe ? Raconte-moi tout !

Je dois filer, Mike m'attend pour aller à la plage !
Je t'aime très fort et j'ai hâte de te voir !

Luv,
Katherine xxx

6 juillet 10 h 33

Salut, Léa!
Je voulais m'excuser pour hier. Ben oui, là
c'est à moi de m'excuser. Je sais qu'on avait
prévu passer la journée ensemble au lac,
mais quand on a croisé Étoile Scintillante et
qu'elle nous a demandé de se joindre à nous,
je n'ai pas osé dire non. J'aurais dû, parce
que tu me manques et que je sais que ça
nous aurait fait du bien de passer une
journée toutes les deux, mais je n'ai pas été
capable de refuser. ☹

J'ai bien vu que tu avais l'air déçue, et
comme tu n'as presque pas parlé de la
journée, j'imagine que tu es un peu fâchée
contre moi. Ça n'a pas dû aider que Cédric
vienne me chercher pour passer la soirée
en tête-à-tête... Désolée encore.

Et toi? Qu'as-tu fait après le lac? Quand je suis rentrée, tu dormais déjà. Je dois filer, Cédric m'a invitée à prendre le petit-déjeuner en amoureux dans la forêt. Un pique-nique romantique! Lol! C'est pas JP qui aurait organisé ça, mettons!;)

Je vais rentrer en début d'après-midi pour qu'on puisse passer du temps ensemble, OK?

Je t'aime!
Lou xox

Lundi 7 juillet

16 h 24

Félix (en ligne): Léa? T'es là? Comment vas-tu, petite sœur?

16 h 25

Léa (en ligne): Salut! Pas mal... Je survis!;) Et toi? Pas trop de gens douteux dans mon lit?

16 h 27

Félix (en ligne): Non! Les parents sont toujours ici, alors je ne peux pas faire de party en cachette! ☺ Et ils capotent, ils n'arrêtent pas de parler de toi. Papa m'a même demandé si tu fréquentais «un p'tit gars»! Lol!

16 h 27

Léa (en ligne): Tu pourras le rassurer... C'est le calme plat à ce niveau-là.

16 h 28

Félix (en ligne): Comme tu es ma petite sœur, j'aime ça de même! C'est drôle, j'ai croisé tes amis, samedi soir.

Léa (en ligne): J'ai des amis, moi? Quels amis?

16 h 29

Félix (en ligne): Alex et Jeanne, qui d'autre! J'allais au cinéma avec Édith, et ils allaient voir le même film que nous. Est-ce qu'ils sortent ensemble?

16 h 29

Léa (en ligne): Alex et Jeanne? Jamais de la vie! On est les trois mousquetaires! Ce sont de bons amis, c'est tout! Pourquoi tu me demandes ça?

16 h 30

Félix (en ligne): Pour savoir, c'est tout. J'ai senti une sorte de tension entre eux... Mais ils se sont peut-être dit la même chose à propos d'Édith et moi, alors ça ne veut sûrement rien dire!

16 h 30

Léa (en ligne): Exact. Et Alex est le roi de la tension! J'en sais quelque chose... Bref! As-tu fait une nouvelle conquête depuis mon départ?

Félix (en ligne): Au moins mille! Mais j'attends ton retour pour te les présenter!;) Et toi? Un beau petit campeur en vue?

16 h 31

Léa (en ligne): *Nope!* Comme je te disais, c'est plutôt mort à ce niveau-là. Je ne peux pas en dire autant de Marilou, qui passe tout son temps avec l'un de nos moniteurs! Et aussi avec sa nouvelle amie gossante...

16 h 32

Félix (en ligne): Est-ce que je sens une chicane entre les *BFF*?

16 h 33

Léa (en ligne): Pas de chicane... Mais on a eu un petit accrochage à propos d'une niaiserie, et depuis ce temps-là, elle est tout le temps avec son nouveau chum ou avec Étoile Énervante (une fille du camp qui me tape sur les nerfs). Bref, je me sens un peu seule...

16 h 33

Félix (en ligne): Pourquoi tu ne te fais pas des amies de ton bord?

16 h 34

Léa (en ligne): Parce que je ne suis pas venue jusqu'ici pour me faire de nouvelles amies! Je suis venue pour passer du temps avec Marilou et fuir Montréal pendant quelques semaines...

16 h 34

Félix (en ligne): Je n'ai qu'une chose à dire: les filles sont plus compliquées que les gars!

16 h 35

Léa (en ligne): Peut-être, mais je me sens seule quand même. Heureusement, je me suis fait un nouvel ami. Ne va surtout pas t'imaginer que ça va devenir mon chum, parce qu'il ne m'intéresse pas du tout.

16 h 35

Félix (en ligne): Je vois... Il n'est pas mystérieux comme Thomas.

16 h 35

Léa (en ligne): Rapport!

16 h 35

Félix (en ligne): Hum... Il n'est pas sociable comme Éloi?

16 h 36

Léa (en ligne): Tu n'as vraiment aucun rapport.

16 h 36

Félix (en ligne): OK, OK, une dernière: il n'est pas aussi beau qu'Alex?

16 h 37

Léa (en ligne): Tu m'énerves! Je me débranche! *BYE!*

16 h 38

Félix (en ligne): Mouahaha! Attends, Léa! Sérieusement, ne te casse pas trop la tête avec tes chicanes de filles et essaie de profiter un peu de ton séjour là-bas, OK? Aie du *fun*, toi aussi! Pense à toi, un peu! T'as connu une année super mouvementée, il me semble que tu mérites un peu de... légèreté dans ta vie.

16 h 38

Léa (en ligne): Je ne pensais jamais dire ça, mais merci pour le conseil. Je pense que tu as raison. ☺ Dis aux parents que je vais les appeler demain, et n'oublie pas que je ne veux personne dans mon lit!

16 h 39

Félix (en ligne): 10-4! À bientôt, petite sœur! ☺

7 juillet 17 h 33

Salut, Lou !
Désolée pour hier P.M. Quand je me suis
levée, je suis allée rejoindre le reste du
groupe, et on a décidé de passer la journée
au lac. Comme Julien le ténébreux était
là, j'ai mis mon plus beau bikini et je me
suis pointée au rendez-vous. J'ai pris mon
courage à deux mains et je me suis assise
près de lui.

J'étais en train de lui parler de sport et
d'entraînement physique (J'ai lu sur le
blogue de Manu que c'était bon de discuter
de trucs qui branchent le gars qui nous
intéresse. Mais je me sentais tout de même
ridicule, car je n'y connais rien en sport !)
quand Jolie Gazelle s'est pointée vêtue de
son trikini noir de femme fatale.

J'avais l'air d'un caniche obèse à côté d'elle! Elle s'est assise avec nous, elle m'a appelée « Laura » au lieu de Léa. Elle a commencé à roucouler en discutant avec Julien. Comme je me sentais humiliée, j'ai décidé d'aller me baigner avec Koala. On a vraiment rigolé, par exemple. Il sait bien me changer les idées! Quand je suis rentrée, tu étais déjà partie rejoindre Étoile Scintillante, et voilà! On s'est encore ratées!

Ce soir, il y a une soirée feu de camp prévue au chalet de Julien et Cédric, alors je suis sûre de t'y voir! J'ai prévu m'y rendre avec Koala, mais on se voit là-bas, OK?
Léa xox

À : Léa_jaime@mail.com
De : Jeanneditoui@mail.com
Date : Mardi 8 juillet, 9 h 44
Objet : Coucou !

Coucou !
Désolée de ne pas t'avoir écrit avant ! La vérité, c'est que je n'arrête pas une seconde depuis que je suis rentrée ! On dirait que mes dix jours d'inactivité m'ont poussée vers l'hyperactivité depuis mon retour en ville, et j'ai le goût de bouger tout le temps ! Lol !

J'ai passé presque toutes mes journées avec Alex, et tu nous manques beaucoup ! On a même croisé ton frère au cinéma, samedi soir. Il était avec son amie du secondaire. Je trouvais qu'ils avaient l'air louche, mais Alex m'a expliqué que des fois, les gars agissaient comme ça juste pour le *fun*. Décidément, je ne comprends rien aux gars ! Il faut dire que mon expérience (quasi nulle) ne m'aide pas à mieux saisir leur logique.

Vendredi, je suis allée au party chez Alexis. J'ai d'ailleurs appris qu'il s'était fait une blonde, mais ça ne m'a rien fait du tout. Il l'a *frenchée* toute la soirée, mais je m'en balançais, parce que je m'amusais de mon côté et que je dansais avec Alex. Éloi était là, et il m'a demandé de tes nouvelles. Je m'en suis tenue aux généralités...

Moi : Elle va pas pire ! Elle est dans un camp avec Marilou.

Lui : Oui, j'ai appris ça. Mais elle va bien ?

Moi : Ouais, elle a l'air d'aller pas pire. (Je ne voulais pas trop en mettre quand même. Il me faisait un peu pitié.) Elle se change les idées. Et toi ?

Lui : Bof ! Je m'ennuie un peu depuis qu'on est tombés en vacances. J'aimerais ça travailler ou faire un stage pour m'occuper, mais je n'ai pas encore l'âge. Mais je pars au début du mois d'août pour trois semaines dans un chalet qu'on a loué avec ma famille dans le coin de Mont-Tremblant. Ça va changer le mal de place...

Moi : Léa te manque, hein ?

Lui : Comme amie, oui. Je réalise qu'on a pris la bonne décision et que ça ne fonctionnait pas du tout comme couple, mais sa présence me manque. J'ai perdu une super bonne amie, tu sais.

Moi : Je pense qu'avec le temps, ça pourra sûrement s'arranger. Peut-être que les vacances vous permettront de prendre un peu de recul et de recommencer à zéro à la rentrée !

Lui : Ouais, j'espère bien !

Après ça, des amis d'Alexis sont venus nous rejoindre et on a changé de sujet. Comme vous semblez vous ennuyer l'un de l'autre (en amis), j'ai sincèrement confiance que les choses vont s'arranger entre vous (pas comme couple, évidemment).

Hier, Maude m'a téléphoné pour me demander si je voulais aller à La Ronde aujourd'hui avec elle, José, Sophie et Lydia. Elle comptait aussi inviter Alex. Sérieusement, ça ne me tente pas vraiment de me taper une journée de mélodrames, mais j'attends des nouvelles d'Alex pour voir ce qu'il fait. S'il accepte d'y aller, je me joindrai à eux, sinon, je préfère passer la journée avec lui. C'est beaucoup moins compliqué comme cela.

Et toi ? Comment va Marilou ? Est-ce que ça s'est arrangé entre vous, ou est-ce que tu as encore Étoile Énervante dans les pattes ? Je pense que tu pourrais dire à Lou que tu veux passer du temps seule avec elle sans que l'énervante soit là, non ? Après tout, je sais que tu t'es inscrite au camp pour voir ta *best*, et non pas pour *chiller* avec une fille gossante ! Au moins, tu peux compter sur Koala Timide pour rigoler et être toi-même. C'est exactement comme ça que je me sens avec Alex. C'est tellement rafraîchissant, je trouve !

Donne-moi vite des nouvelles ! Tu me manques !
Jeanne xxx

À : Jeanneditoui@mail.com
De : Léa_jaime@mail.com
Date : Mardi 8 juillet, 16 h 02
Objet : Aucune autorité !

Salut !

J'étais tellement contente de lire ton courriel et de voir que tu avais repris le rythme de Montréal ! Je suis aussi contente de voir qu'Éloi s'ennuie de moi autant que je m'ennuie de lui, et ça me donne bon espoir qu'on redevienne amis à la rentrée. Peut-être. Je pense qu'il est encore trop tôt, mais les prochaines semaines de recul nous feront sûrement du bien.

Si tu vas à La Ronde avec les nunuches, tu devras tout me raconter ! Lol ! Je suis avide de potins !

Ici, les choses vont un peu mieux avec Marilou, mais vraiment moins bien côté boulot.

Commençons par les bonnes nouvelles. Après avoir passé près d'une semaine à nous éviter et à nous manquer mutuellement, Marilou et moi nous sommes retrouvées hier soir dans une soirée feu de camp organisée au chalet de Julien le ténébreux et Tam-Tam Boy (Cédric).

Quand je suis arrivée, je l'ai vue assise près du feu avec Étoile Énervante. Elles riaient d'un ton complice et j'ai senti un pincement au cœur. Je réalisais que ma *best* était en train de me glisser entre les doigts, et qu'elle se liait de plus en plus d'amitié avec une fille que je n'arrivais pas à tolérer (encore moins depuis qu'elle a décidé de se mêler de ma chicane avec Lou).

J'ai décidé de prendre les choses en main. Je suis allée les retrouver, et le visage de Lou s'est éclairé dès qu'elle m'a vue approcher. (J'ai aussi vu la déception sur le visage de l'énervante !)

Moi : Salut !
Étoile Énervante : Hé, salut ! Je ne pensais pas que tu allais venir.
Moi : Ben, oui ! J'ai été invitée, moi aussi, et j'avais envie de voir MA *best*.

Marilou m'a fait un petit sourire en coin. Elle avait compris mon allusion. Elle s'est poussée pour me faire une place auprès d'elle.

Marilou : Je suis trop contente que tu sois là ! Viens t'asseoir avec nous !
Moi (en prenant une grande inspiration) : En fait, Lou, j'aimerais ça te parler seule à seule cinq minutes. Je suis désolée, Étoile Énerv... Étincelante, mais c'est personnel. Il y a des trucs que je voudrais dire à Marilou. Toute seule.

Étoile Énervante a eu un mouvement de recul, comme si je venais de lui demander de se déshabiller et de danser autour du feu. Puis elle a regardé Marilou en espérant qu'elle lui dise de rester. Heureusement, Lou n'a pas bronché. Étoile Énervante a donc dû s'avouer vaincue et nous laisser seules.

Moi (en m'asseyant) : Désolée, je ne voulais pas créer de malaise, mais j'avais vraiment envie de te parler toute seule.

Marilou (en me souriant) : Moi aussi. Tu as bien fait. Je l'aime bien, Dominique, mais j'avais envie de passer un peu de temps toute seule avec ma *best*.

Moi (en baissant les yeux) : Ah oui ? Donc tu ne m'as pas complètement oubliée ?

Marilou (en riant) : Ben voyons, Léa ! On a eu une petite dispute, ou plutôt un froid, mais ça va me prendre pas mal plus que ça pour te remplacer ! Qui t'a mis des idées comme ça dans la tête ?

Moi : Euh... Moi-même ! Je n'ai besoin de personne pour m'imaginer le pire, tu sais. C'est juste que depuis qu'on est arrivées ici, j'ai l'impression qu'on se voit à peine, et que l'histoire de la bouteille nous a éloignées encore plus. Je ne veux pas te perdre, tu comprends ? Je sais que ça t'a fait de la peine de me voir embrasser Cédric, mais ça ne voulait absolument rien dire ! Je ne veux pas que tu me *flushes* pour Étoile Énervante. Je t'aime trop pour ça !

Marilou : Étoile Énervante ? C'est Dominique, ça ? Elle t'énerve tant que ça ?

Moi : Disons que je suis un peu... jalouse de la quantité de temps que vous passez ensemble, et que ça n'aide pas qu'elle se mêle de nos chicanes.

Marilou : Je comprends, mais je te jure qu'elle est super gentille. Je crois simplement que vous êtes parties sur un mauvais pied, toutes les deux. Mais tu as raison sur une chose ! On ne passe pas assez de temps ensemble. Je sais que tu as décidé de venir dans ce camp pour être avec moi, et ce n'est pas *full* gentil de ma part de te délaisser pour elle et pour Cédric...

Moi : Détrompe-toi ! Je suis contente que tu passes du temps avec Cédric. Je sais que tu en avais besoin après tout ce qui s'est passé avec JP, mais j'avoue que j'aimerais ça qu'on passe un peu plus de temps toutes les deux...

Marilou : J'ai une idée ! On pourrait se prévoir au moins trois soirées par semaine juste pour nous deux. Pas d'Étoile, ni de Cédric !

J'ai souri et on s'est serrées très fort dans nos bras. Je me suis excusée encore pour l'histoire avec Cédric, et elle a admis qu'elle avait peut-être un peu exagéré. La vérité, c'est qu'elle m'en voulait encore un peu de lui avoir menti à propos de Thomas et que, sur le coup, elle sentait que les gars avaient toujours le don de nuire à notre amitié.

Après ça, Cédric est venu nous rejoindre avec Julien. J'ai réussi à échanger quelques paroles avec lui avant que Jolie Gazelle et Soleil Éclatant (les deux plus belles filles du camp) viennent se mêler à la discussion et que je perde complètement le contrôle. Je commençais à m'ennuyer et j'avais envie de retrouver mon lit.

Marilou a décidé de partir en même temps que moi, mais je l'ai attendue cinq minutes pendant qu'elle *frenchait* Cédric dans les bois (en théorie, ils n'ont pas le droit de se fréquenter, comme Marilou n'est pas officiellement une apprentie monitrice. Ils doivent donc s'embrasser en cachette, même si tout le monde semble être au courant de leur aventure). Étoile Énervante est venue me tenir compagnie. J'ai essayé d'entretenir la conversation, mais il n'y a rien à faire. Ça ne clique pas entre nous deux. Au moins, les choses se sont arrangées avec Marilou !

Passons maintenant aux mauvaises nouvelles. J'ai complètement perdu le contrôle de mon groupe. Aujourd'hui, c'était la première fois que les moniteurs du groupe des neuf à douze nous laissaient seuls avec les jeunes. Dès qu'ils se sont éloignés, les enfants ont commencé à courir partout sans porter la moindre attention à nos ordres. Koala a essayé d'organiser une grande partie de cache-cache, mais les préados ont plutôt opté pour une bataille de bouffe. Les deux petits rebelles du groupe me lançaient des biscuits en criant : « Écureuil Rôti ! Écureuil Pourri ! »

Les moniteurs ont finalement dû rebrousser chemin pour se porter à notre secours. Ils nous ont promis qu'ils ne les laisseraient plus jamais sans surveillance, mais je voyais bien qu'ils étaient déçus de nous. Je ne sais pas à quoi ils s'attendaient. Je n'ai aucune expérience avec les groupes d'enfants hyperactifs, moi ! Je ne savais pas quoi faire ! Et en plus, ils ont osé m'appeler Écureuil Pourri ! Non, mais !

J'espère que demain ira mieux. Ça devrait, puisqu'on passe la journée au lac et que nous aurons l'aide de trois moniteurs !

Bon, j'espère que mon roman ne t'a pas trop ennuyée. Tu me donneras de tes nouvelles dès que tu le pourras, et n'oublies pas d'inclure quelques potins croustillants ! ;)
Léa xxx

P.-S. : Pour ce qui est de mon frère, il est effectivement louche avec tout le monde, alors ça ne veut rien dire. Mais je suis d'accord que les gars sont bizarres et qu'ils ont une perception étrange des choses. Par exemple, mon frère pensait qu'il y avait de la tension entre Alex et toi quand il vous a croisés au cinéma ! Pfff !

Chapitre 4
Pieds boueux

Jeudi 10 juillet

Marilou (en ligne): Steph! Enfin, je te croise en ligne!

14 h 01

Steph (en ligne): OUIIII! Je m'apprêtais à te répondre en plus! J'attendais simplement d'avoir un peu plus de choses à te raconter. Je n'ai tellement pas de vie! Ça n'a aucun sens! Heureusement que Seb rentre samedi! ☺ Et toi? Comment ça va avec Cédric?

14 h 03

Marilou (en ligne): Ça va SUPER bien! ☺ Il est tellement attentionné et romantique! Ce matin, j'ai même trouvé une rose devant notre chalet avec un petit message de lui. Ça fait vraiment changement de JP.

14 h 04

Steph (en ligne): Donc, tu ne penses plus à lui? Je veux dire... tu n'es plus triste à cause de JP?

Marilou (en ligne): Je ne pense pas vraiment à lui, ces jours-ci. Disons que Cédric est doué pour me changer les idées! Mais je n'aurais pas non plus envie de le croiser ce matin... J'essaie de ne pas trop y penser, en fait. Parlant de lui... As-tu d'autres nouvelles?

14 h 07

Steph (en ligne): En fait, Sarah Beaupré m'a envoyé un SMS hier midi pour m'inviter à venir écouter un film chez Thomas. Je n'avais pas l'intention d'y aller, mais j'étais tellement déprimée par mon inaction et ma solitude qu'à force qu'elle insiste, j'ai fini par dire oui. Quand je suis arrivée là-bas, je suis tombée nez à nez avec JP, Géraldine et Odile. D'un côté, j'étais contente de ne pas servir de chaperon à Sarah et Thomas, mais d'un autre, je me serais passée de la présence de tout ce beau monde. J'avais à peine mis un pied chez elle que je regrettais déjà d'y être allée... J'espère que tu ne m'en veux pas. ☹

14 h 08

Marilou (en ligne): Ben non, voyons. Je comprends qu'avec Seb, Laurie et moi en dehors de la ville, ça ne te laisse pas beaucoup de choix! Mais donne-moi plus de détails. Il allait comment, JP? Est-ce que ça semble avoir évolué entre lui et Géraldine? (Je sais que je ne devrais pas poser ces questions, mais ma curiosité malsaine l'emporte.)

14 h 10

Steph (en ligne): Pas vraiment. J'ai cru comprendre qu'ils faisaient souvent des activités tous ensemble, mais je pense aussi que c'est parce que Thomas est tanné de se tenir uniquement avec Sarah et ses amies greluches. JP avait l'air correct, mais plus effacé que d'habitude. Avant de partir, il m'a encore demandé des nouvelles de toi... Je lui ai répondu par des banalités.

14 h 11

Marilou (en ligne): OK. Merci de me dire tout ça! Ça me fait encore un petit pincement au cœur d'entendre parler de lui, mais je sais qu'en retrouvant Cédric ce soir, tous mes soucis vont disparaître! ☺

14 h 12

Steph (en ligne): Génial! Et avec Léa, ça va mieux?

14 h 13

Marilou (en ligne): Vraiment! On s'est expliquées, et on se consacre plus de temps depuis. Je pense qu'elle se sentait délaissée... avec raison. Le seul problème, c'est qu'elle ne s'entend pas *full* bien avec Étoile Scintillante, ma compagne de travail avec qui je m'amuse beaucoup. Léa la surnomme même «Étoile Énervante»! Lol!

14 h 14

Steph (en ligne): Il faut la comprendre... Et même si tu voulais que ça clique entre elles, des fois, il n'y a rien à faire... Un peu comme entre toi et Thomas!;)

14 h 16

Marilou (en ligne): Ouais, t'as raison... C'est juste plate parce que je dois partager mon temps entre les deux. Je vois beaucoup Étoile au travail, mais je sais qu'elle a souvent envie de faire des trucs le soir, et entre mes soirées avec Cédric et celles avec Léa, il ne me reste plus beaucoup de temps à lui accorder...

14 h 17

Steph (en ligne): Mouais, mais elle comprendra sûrement! Après tout, tu es arrivée avec Léa, et c'est évident que tu as envie de passer du temps avec elle et avec ton nouveau chum!;)

14 h 17

Marilou (en ligne): Lol! Je ne sais pas si c'est mon «chum»! Surtout que comme je suis considérée comme une campeuse, on n'a pas le «droit» de se fréquenter. On doit le faire en cachette...

14 h 18

Steph (en ligne): Wow! Ça ajoute du suspense!! ARGH! On parle de ça, et ça me donne tellement envie de revoir Seb! On s'est parlé tous les jours depuis son départ. Je suis encore plus amoureuse qu'avant, je pense! ☺

14 h 18

Marilou (en ligne): Je suis contente pour toi, mon amie!

14 h 18

Steph (en ligne) : Et moi, je suis contente que tu aies trouvé quelqu'un qui prenne soin de toi et qui te change les idées !

14 h 19

Marilou (en ligne) : Moi aussi ! ♥ Je dois filer, car je veux prendre ma douche avant de rejoindre Étoile et de me rendre à la cafétéria ! Tu me manques, Steph. Écris-moi bientôt pour me raconter tes retrouvailles !

14 h 19

Steph (en ligne) : Promis ! Fais un gros bisou à Léa de ma part ! xxx

À : Katherinepoupoune@mail.com
De : Léa_jaime@mail.com
Date : Vendredi 11 juillet, 9 h 27
Objet : Tu nages dans le bonheur, je marche dans la boue !

Salut, Katherine !
Je suis tellement contente que ce soit vendredi, car ici, c'est un peu la folie pendant la semaine ! Je dois essayer de contrôler une horde d'enfants hyperactifs qui crient tout le temps et qui ont pris la gentille habitude de me surnommer « Écureuil Pourri » ! Oui, tu as bien lu ! Heureusement que les vrais moniteurs nous aident un peu ! Surtout depuis qu'ils se sont rendu compte que Koala et moi n'avions aucune autorité sur les petits garnements.

Hier soir, Marilou et moi avons aussi appris que, lundi, nous partions en randonnée pédestre pendant trois jours avec notre groupe « de grands » dans le bois. Pas d'ordinateur, pas de douche, pas de cellulaire, rien ! Juste nous, la boue et la nature. On a essayé de plaider que nous étions presque des apprenties monitrices et que nous avions des tâches à accomplir ici, mais ça n'a pas fonctionné. Chouette Motivée, la monitrice la plus gossante qui existe sur la planète, nous a répété mille fois que ça fait « partie de notre apprentissage » et qu'on allait « triper dans la nature ». J'ai hâte de voir ça !

Marilou est triste de devoir passer trois jours loin de Cédric, le moniteur qu'elle fréquente maintenant assez sérieusement, et moi, je capote à l'idée de dormir dans la forêt jusqu'à jeudi matin. On se souvient bien que ma relation avec Éloi a échoué, entre autres, à cause de mon désamour des randonnées pédestres et de la vie dans la nature !

À part de cela, les choses vont mieux avec Marilou. On rigole beaucoup plus qu'avant. Elle a un peu délaissé la fille énervante dont je te parlais pour me consacrer du temps ! ☺ Je suis contente qu'elle file le bonheur avec Cédric, surtout après ce qui s'est passé avec JP, mais je dois avouer que je me sens un peu seule.

De mon côté, c'est le grand désert amoureux. Julien le ténébreux, le beau moniteur qui fait battre mon cœur et que je contemple dès que j'en ai la chance, me traite toujours comme si j'étais un bébé. Il passe son temps avec les deux belles monitrices du camp. Ma seule consolation, c'est qu'il nous accompagnera en randonnée avec deux autres moniteurs, et que je l'aurai juste à moi ! Marilou m'encourage à foncer et à en profiter pour apprendre à mieux le connaître, mais j'ai un peu peur qu'il se moque de moi. Qu'est-ce que tu en penses ?

Et toi ? Toujours sous le soleil, main dans la main avec Mike ? Tu repars quand, au juste ? Est-ce que vous

pensez rester ensemble après les vacances ? Donne-moi de tes nouvelles ! Ça met du piquant dans ma vie de *wannabe* apprentie monitrice qui n'aime pas la nature et qui se demande souvent qu'est-ce qu'elle fait ici !
Léa xox

11 juillet 10 h 33

Salut, Léa!
Je sais qu'on capote parce qu'on part en randonnée, mais Cédric m'a dit que ce soir, il y avait une autre soirée organisée autour du feu avec les moniteurs et apprentis moniteurs! Koala, Étoile, toi et moi sommes invités! Il faut juste être discrètes, parce qu'il paraît que Chouette Motivée nous a à l'œil et qu'elle fait pression pour qu'on passe plus de temps avec « notre super gang tripante ».
Lou xox

P.-S.: Cédric est même censé venir me porter deux bières un peu plus tard! Je me suis dit qu'on pourrait les boire ici, avant de se rendre là-bas, question de te donner un peu de courage pour foncer vers Julien, une fois pour toutes! On se retrouve pour le souper!

À : Léa_jaime@mail.com
De : Jeanneditoui@mail.com
Date : Samedi 12 juillet, 13 h 11
Objet : La moitié de fait !

Coucou !
Je viens de réaliser que ça fait déjà deux semaines que tu es partie, ce qui veut dire que tu reviens dans deux semaines seulement ! Hourra ! Est-ce que ça paraît que tu me manques ?

Finalement, Alex m'a téléphoné après que je t'aie écrit pour me convaincre d'aller à La Ronde avec lui et les autres. C'était plutôt étrange comme journée. Il y avait visiblement un froid entre les filles (Maude, Lydia et Sophie) et moi. On formait un peu deux groupes : Éloi (Alex l'avait aussi convaincu de venir), Alex et moi d'un côté, Maude, Lydia et Sophie de l'autre. José virevoltait un peu d'un côté à l'autre, sans trop savoir quoi faire. Je crois qu'il avait envie de passer du temps avec ses amis, mais il savait que Maude allait lui faire une crise s'il la laissait tomber complètement.

J'ai fini par monter dans la plupart des manèges avec Alex et Éloi, mais quand j'ai proposé de faire un tour dans la grande roue, Maude s'est immiscée entre nous et m'a un peu forcé la main pour m'accompagner.

J'ai été coincée dans une mini-cabine avec elle dans un demi-silence très incommodant. C'est une fois au sommet qu'elle s'est tournée vers moi.

Maude : Jeanne, qu'est-ce qui se passe avec nous ?
Moi (mal à l'aise) : Euh... Qu'est-ce que tu veux dire ?
Maude : Ben, là ! Avant, on était inséparables, mais depuis cette année, les choses ont changé. Je ne peux pas m'empêcher de blâmer Léa pour ça.

Autant j'étais étonnée et quand même contente qu'elle prenne le taureau par les cornes pour qu'on parle de nos problèmes, autant j'étais découragée qu'elle ne comprenne rien de ce qui arrive et qu'elle rejette encore la faute sur toi.

Moi (d'un ton impatient) : Écoute, Maude, j'en ai assez que tu rejettes la faute pour tout ce qui nous arrive sur Léa. Si tu te souviens bien, elle a déjà essayé de faire la paix avec toi. Je pense qu'au début de l'année dernière, elle ne demandait pas mieux que d'être amie avec toi et les autres filles, mais tu as décidé de t'acharner sur son cas et tu es allée trop loin. Le coup de l'interphone, Maude...
Maude (d'un ton offensé) : Mais pourquoi la protèges-tu tout le temps ?
Moi : Parce qu'elle est mon amie, Maude ! Je me suis rapprochée d'elle cette année. Je la trouve très *cool*. On s'amuse ensemble et on a plein de points communs. Le

problème, ce n'est pas Léa ! C'est toi qui as changé ! Tu es devenue méchante et c'est impossible de te parler ! En plus, tu entretiens une relation complètement malsaine avec un gars qui te trompe et qui te traite mal. Je ne te reconnais plus.

Maude m'a regardée, les larmes aux yeux. J'arrivais enfin à voir mon ancienne amie derrière son masque de dure à cuire.

Maude : Pourquoi penses-tu que je m'acharne tant sur Léa ? Elle m'a volé mon rêve en travaillant au journal. Et elle m'a volé l'une de mes meilleures amies !
Moi : Si tu étais plus gentille avec moi et avec Léa, tu réaliserais qu'elle n'est pas du tout comme ça !

On est restées silencieuses pendant quelques instants, et j'ai compris que la grande roue approchait du sol. Juste avant d'arriver, Maude s'est encore tournée vers moi.

Maude : Désolée, Jeanne, mais je ne pourrai jamais devenir amie avec elle. C'est viscéral. Il va falloir que tu choisisses.
Moi : Je pense que mon choix est déjà fait.

Sur ce, je suis sortie de la grande roue, j'ai agrippé Alex et Éloi par le bras et nous sommes partis de La Ronde. C'est officiel, je pense que je viens de « casser » avec mon ancienne amie ! Je me sens comme Katherine le décrivait. D'un côté, je suis soulagée, mais d'un autre, je suis triste de me rendre compte que les choses n'évolueront pas, et surtout que Maude ne changera pas ; du moins, pas tant qu'elle sortira avec José et que Sophie et Lydia embarqueront dans ses manigances.

Ne va surtout pas croire que tout est de ta faute. La vérité, c'est que Maude te jalouse et qu'elle ne supporte pas l'attention que tu attires malgré toi ! ;)

À part cette journée à La Ronde, j'ai passé presque toutes mes journées avec Alex. On peut dire qu'on est devenus inséparables ! Éloi se joint parfois à nous. Je veux lui changer un peu les idées, du moins jusqu'à ton retour !

Katherine m'a téléphoné, hier soir. Elle venait juste de rentrer. Elle m'a dit qu'elle allait t'écrire tous les détails. Elle est amoureuse par-dessus la tête de son Mike, l'Américain qu'elle a connu à la plage et qui habite à Boston. Tu la connais : elle s'emporte un peu trop quand elle est amoureuse... Mais je n'ose pas trop la ramener sur Terre en lui disant que je ne crois pas aux relations à distance. J'attends que tu reviennes pour qu'on soit deux à le lui dire ! Lol !

J'ai appris que tu partais en randonnée pendant trois jours dans les bois ?!? Pauvre Léa ! Dis-toi qu'au moins, tu n'auras pas à t'occuper de ton groupe d'enfants incontrôlables qui te surnomme Écureuil Pourri ! Tu pourras peut-être te rapprocher de ton beau moniteur (Katherine m'a aussi raconté ce détail ! Lol !).

Si tu as la chance, écris-moi avant ton départ, OK ? Je veux connaître les derniers potins du camp ! Tu salueras Marilou de ma part !
Jeanne xxx

À : Jeanneditoui@mail.com
De : Léa_jaime@mail.com
Date : Samedi 12 juillet, 14 h 21
Objet : Vapeurs de bière

Coucou !
Je suis contente d'avoir de tes nouvelles, et aussi heureuse que tu m'aies raconté ce qui s'est passé avec Maude. Je sais que ce n'est pas ma faute, mais je suis quand même désolée pour Katherine et toi. Même si j'ai des réserves envers Maude, je peux comprendre que c'est dur de perdre une amie. Mais je suis fière de toi ! Tu as su être honnête et tirer les choses au clair avec elle.

J'avoue que je trouve ça vraiment bébé qu'elle te demande de choisir entre elle et moi. Même si on ne s'entend pas, je crois qu'il y aurait eu moyen que tu puisses entretenir des liens d'un côté comme de l'autre. C'est tant pis pour elle !

Contente aussi de voir qu'Alex et toi êtes devenus comme les doigts de la main ! J'espère que j'aurai encore ma place à mon retour ! ;) J'ai quand même espoir qu'éventuellement, on puisse inviter Éloi à se joindre à nous. Plus le temps passe, et plus je me sens prête à lui faire face. Je ne lui en veux plus de m'avoir laissée poireauter pendant des semaines. Son amitié me manque de plus en plus. C'est bon signe, non ?

Pour ma part, Katherine t'a bien informée : je vais en randonnée de lundi à jeudi matin. Connaissant ma dextérité et mes grands talents d'aventurière en nature, ça promet d'être amusant et mouvementé ! Lol !

Au moins, je peux profiter de deux journées de congé avant de partir. Hier soir, les moniteurs ont organisé une autre soirée de feu de camp et guitare. C'était beaucoup plus agréable que la dernière. En plus, Marilou avait réussi à mettre la main sur deux bières (grâce à Cédric) qu'on avait bues avant de se rendre à la soirée. Je me sentais plus détendue que d'habitude. J'ai même réussi à rigoler un peu avec Étoile Énervante ; du moins, jusqu'à ce qu'elle dépasse les bornes et recommence à me taper sur les nerfs.

Tout a dérapé alors qu'on était assises autour du feu. Marilou s'était installée entre elle et moi.

Marilou : Ouin, eh bien, ça promet, cette belle randonnée !

Moi : Mets-en ! Tu connais mes affinités avec la nature !

Étoile : Ne t'en fais pas, Léa ! Je suis sûre que je suis aussi maladroite que toi ! Et je hais les moustiques !

Moi (en riant) : Moi aussi ! En fait, je déteste tous les insectes. Et je n'aime pas dormir dans une tente, non plus.

Étoile (en riant aussi) : Moi non plus ! Honnêtement, je trouve que nos chalets sont à la limite de l'acceptable ! L'eau a même réussi à s'infiltrer hier quand il y a eu une averse !

Moi : Je suis d'accord avec toi. Nos draps sont toujours humides, et ça pue. Et il y a des bruits bizarres la nuit.

Étoile : En plus, on doit marcher dans le noir pour faire pipi dans un trou puant.

On a éclaté de rire toutes les trois. Je voyais que Marilou était contente de voir que ça cliquait un peu plus entre Étoile Énervante et moi.

Marilou : C'est vrai qu'il n'y a pas grand-chose d'agréable dans ce camp ! Même la bouffe qu'on aide à préparer est dégueu !

Moi (en donnant un petit coup de coude à Marilou) :
Ben, là ! Il y a les beaux moniteurs qui sont agréables !
En tout cas, tu n'as pas l'air de t'en plaindre !
Étoile Énervante : Et il y a toi, Marilou.

Elle a mis son bras autour de son épaule et l'a serrée
contre elle.

Marilou : Euh... Merci, mais je ne pense pas que je fais
le poids contre les moustiques, la bouffe, le chalet qui
pue et la bécosse !
Étoile Énervante : Mais bien sûr que si ! Après tout,
c'est grâce au camp si je t'ai connue et si je me suis fait
une nouvelle *best*.

Marilou a souri, mais elle avait l'air vraiment mal à
l'aise. Elle a tourné son visage vers moi et m'a fait de
grands yeux pour montrer sa stupéfaction. J'ai répondu
en étouffant un rire et en haussant les épaules.

Heureusement que Cédric et Julien sont arrivés à ce
moment-là.

Cédric (en regardant Marilou) : Brise Franche, est-ce
que je peux te parler une minute... seul à seul ?
Marilou (en se levant d'un bond) : Mais bien sûr,
Tam-Tam Boy !

Étoile Énervante a jeté un coup d'œil à sa montre, puis elle s'est levée en annonçant qu'elle allait se coucher. J'étais enfin seule avec Julien le ténébreux.

Julien : Alors, comment ça se passe, le camp ?
Moi : Pas si mal, surtout lorsqu'on tient compte du fait que je suis la fille la moins « nature » au monde !
Julien : Wow ! Ça promet pour la randonnée !
Moi (en le regardant dans les yeux) : Ouais, je sais ! Mais au moins, il y aura trois moniteurs pour me protéger !

Sitôt les paroles prononcées, sitôt regrettées ! Je crois que ce sont les vapeurs de bière qui me sont montées à la tête et qui m'ont poussée à dire ça.

Julien (d'un air surpris) : Euh... Ouais, c'est notre travail de vous protéger. Mais tu verras que ce n'est pas si mal que ça ! Je crois même que la randonnée te donnera la piqûre.
Moi (d'un ton qui se veut délicat) : Ouais, peut-être. Mais je suis plus du genre urbain...
Julien : Ça se voit dans ton style !

J'allais lui demander ce qu'il voulait dire par là, mais quelqu'un est venu nous interrompre en tendant sa guitare à Julien pour qu'il joue quelque chose.

Je l'ai contemplé pendant qu'il interprétait son morceau (aucun souvenir de la chanson), et j'ai réalisé qu'il me faisait un peu penser à Éloi avec ses gougounes Havaianas, son t-shirt un peu grunge et son bermuda Quicksilver. Et tout à coup, je me suis sentie triste. Non seulement je me rendais compte que je venais de draguer mon moniteur qui n'avait apparemment aucun intérêt pour moi, mais en plus, je le comparais à mon ex.

J'ai décidé de rentrer avant que l'alcool ne me fasse faire d'autres bêtises !

Marilou est arrivée au chalet en trombe quelques minutes plus tard.

Lou : Léa ! Regarde ce que Cédric m'a offert !

Elle m'a montré un joli collier avec un pendentif en forme de fleur.

Lou : Il l'a trouvé quand il est allé en ville hier après-midi. Il m'a dit que ça lui avait fait penser à moi ! Je capote, Léa ! Je suis tellement sur un nuage !
Moi : Je suis vraiment contente pour toi, Lou ! Je sais à quel point ça fait du bien après une peine d'amour. C'est un peu comme ça qu'Alex m'avait fait me sentir.

Marilou m'a observée attentivement pendant quelques secondes.

Lou : Ça ne va pas, toi ?
Moi : Bof...

J'ai finalement éclaté en sanglots. Je lui ai relaté ma conversation peu fructueuse avec Julien et le fait que je me sente seule.

Moi (en pleurant) : Je ne trouverai plus jamais personne !
Lou (en me consolant) : Mais bien sûr, ma chérie ! Tu vas encore avoir des tonnes de chums dans ta vie ! Il y a plein de gars qui te tournent autour !
Moi (en reniflant) : Qui ça ?
Lou : En commençant par le trio infernal : Thomas, Éloi et Alex !
Moi : Thomas, c'est trop dur pour moi, et il a sa Sarah. Éloi, c'est fini, et Alex... C'est mon ami, et je t'ai déjà dit que j'avais mis ça au clair avant de partir.
Lou : Bon, bon ! Mais il y en aura d'autres. Les gars te tournent toujours autour comme des mouches. Regarde Koala Timide ! Il se meurt d'amour pour toi, et tu ne t'en rends même pas compte !
Moi : Mais non, voyons ! C'est mon ami, c'est tout ! Et de toute façon, il n'est pas mon genre !

Marilou m'a consolée pendant encore quelques minutes, puis elle a réussi à me faire rire en imitant Étoile Énervante (elle a elle-même admis qu'elle était pas mal intense).

On s'est endormies assez tard. Le tonnerre m'a fait sursauter en plein milieu de la nuit. J'ai toujours détesté les orages, alors je me suis réfugiée dans le lit de Marilou avant de me rendormir.

Aujourd'hui, j'ai lu, je me suis baignée dans le lac et je dois rejoindre Koala sous peu pour faire une balade. Marilou est dans les bois avec Cédric, mais elle est censée nous rejoindre avec Étoile Énervante pour le souper et pour regarder les étoiles autour d'un feu.

Voici un résumé de ma vie trépidante au Camp Soleil! J'ai déjà hâte de retrouver la ville et de m'amuser avec Alex et toi!

Je te laisse, mais je t'écris dès que j'en ai la chance! Léa xox

P.-S.: J'attends encore des nouvelles de Katherine, mais je suis bien placée pour savoir que les relations à distance, ça ne fonctionne pas! :(

12 juillet 17 h 53

Coucou, Lou!
Je t'écris rapidement, car Koala m'attend.
En passant près des douches, j'ai entendu
Chouette Motivée qui disait à Jolie Gazelle
que Tam-Tam Boy allait avoir des ennuis...
Est-ce que tout va bien? Comme tu n'es
pas encore revenue de ta balade, j'ose
espérer que tu files le parfait bonheur,
et que Chouette ne fait que propager de
fausses rumeurs.

On se rend à la cafétéria, mais viens nous
rejoindre dès que tu peux!
Léa xox

P.-S.: Encore merci pour le réconfort de
la nuit dernière. T'es vraiment la meilleure
best au monde! ☺

À : Stephjolie@mail.com
De : Marilou33@mail.com
Date : Dimanche 13 juillet, 9 h 11
Objet : Je capote !

Salut, Steph !
J'espère que tes retrouvailles avec Seb se sont bien déroulées et que tu files le parfait amour !

De mon côté, je capote un peu. Comme tu sais, je fréquente assez sérieusement Cédric depuis mon arrivée (ou presque), et ça va super bien. Il est vraiment attentionné et romantique. Chaque jour, il me dit qu'il se trouve con de ne pas avoir sauté sur l'occasion l'année dernière et de m'avoir laissée lui filer entre les doigts, ce qui m'aide à lui pardonner le fait qu'il m'ait blessée. Mais comme je lui répète, il n'y a rien qui arrive pour rien. Sans doute que ça n'aurait pas fonctionné à ce moment-là.

Tu sais aussi que comme il est moniteur et que j'ai le statut de « campeuse », on ne peut pas s'afficher ouvertement ensemble. Évidemment, presque tous les moniteurs et les campeurs s'en doutent, mais l'important, c'est que ça ne se rende pas aux oreilles des organisateurs et directeurs du camp. On essaie donc d'être discrets.

Hier après-midi, Cédric m'avait offert de l'accompagner au bord du lac, dans un endroit reculé qu'il adore. On a emprunté un petit sentier perdu pour s'y rendre, mais quand on a atteint la grève, on se sentait officiellement seuls au monde. On s'est assis sur un rocher pour discuter, puis on a commencé à s'embrasser passionnément.

Sérieusement, je pourrais passer mes journées à l'embrasser. Je n'ai plus peur qu'il dépasse les bornes, parce que je lui ai fait comprendre que je n'étais pas prête à aller plus loin, du moins, pour l'instant.

Bref, pendant notre baiser passionné, on a entendu des voix. On s'est séparés en sursautant, et on a vu une sorte de chaloupe sur le lac. Cédric a reconnu un moniteur qui faisait une balade avec un des organisateurs.

Ils étaient assez loin, et je ne sais pas s'ils ont pu nous reconnaître, mais dès que Cédric les a vus, il m'a prise par la main pour qu'on retourne dans les bois. On a fait ça discrètement et sans se hâter pour ne pas attirer leur attention. Cédric dit qu'il se fout que le moniteur l'apprenne (il paraît qu'il y a plein de moniteurs qui fréquentent des campeuses), mais qu'il a peur que l'organiseur nous ait reconnus.

Cédric a une rencontre avec les directeurs lundi pour faire une mise au point sur les activités. Il m'a dit que s'ils le savaient pour nous, ils ne se gêneraient pas pour le lui dire, et même pour le renvoyer du camp! :(

Le problème, c'est que je serai en randonnée au fin fond des bois jusqu'à jeudi matin, sans savoir ce qui se passe, et sans savoir si Cédric est parti ou non. En plus, on a convenu que c'était mieux de s'éviter d'ici mon départ pour ne pas empirer les choses... Je capote, Steph! Je ne veux pas qu'il parte. Je ne veux pas être séparée de lui! On aurait dû faire plus attention. Je m'en veux beaucoup...

Léa a décidé de me changer les idées, alors je dois aller la rejoindre dans la salle de jeu pour entamer une longue partie de Monopoly avec elle, Koala Timide et Étoile Scintillante. Comme il pleut dehors, c'est une façon de se divertir et de penser à autre chose.

Je pars demain matin, mais je te réécris dès que je rentre jeudi pour te donner des nouvelles.

D'ici là, tu me raconteras comment se sont déroulées vos retrouvailles!
Lou xox

À : Léa_jaime@mail.com
De : Katherinepoupoune@mail.com
Date : Mardi 15 juillet, 14 h 22
Objet : À l'aide !

Coucou, ma jolie !
Alors, comment ça se passe la fameuse randonnée ?
En as-tu profité pour te rapprocher un peu de Julien
le ténébreux ? Est-ce que Marilou tient le coup loin de
son Cédric ? Est-ce que tu survis ?

Moi, ça va ! J'essaie peu à peu de revenir sur terre et
de m'habituer à ma vie à Montréal, mais je pense à
Mike sans arrêt. Des fois, on peut passer des heures
et des heures à clavarder ou à discuter sur Skype, et
on n'arrive jamais à bout de sujets de conversation !
J'essaie de lui apprendre un peu le français. Il trouve
que mon accent est trop mignon ! Évidemment, mes
parents capotent, car ils disent qu'ils ne m'ont presque
pas vue à la plage, et que je perds mon temps dans
une relation qui n'a pas d'avenir, mais moi, j'y crois
vraiment.

Je sais que tu n'es pas bien placée pour m'encourager
et me dire que ça fonctionnera, mais en même temps,
je me dis que tu as déjà traversé quelque chose de
similaire, et je me demandais si tu avais des trucs pour
convaincre mes parents de me laisser tranquille ? Mike
est censé venir me voir lors de la fête du Travail, parce

que c'est aussi férié pour lui et que ça vaudra plus la peine de faire la route s'il peut rester trois jours. Évidemment, il ne peut pas rester chez moi, mais il m'a dit qu'il avait un bon ami à Montréal chez qui il pourrait habiter.

C'est dur de me changer les idées et de penser à autre chose. Sans blague, il occupe toutes mes pensées et il me manque tellement que ça fait mal. Je ne me suis jamais sentie comme ça. J'ai vraiment aimé Félix à fond, mais ce n'était pas aussi passionnel, ni aussi fusionnel.

Ma mère m'a convaincue de sortir un peu de ma chambre et de faire des activités, mais tout le monde semble *full* occupé. J'aimerais bien voir Jeanne toute seule, mais on dirait qu'Alex est collé à ses bottes et la suit partout. Sans blague, ils ne vont plus nulle part l'un sans l'autre. Si ce n'était de Jeanne, je commencerais même à me poser des questions quant à la nature de leur relation... Lol !

J'ai hâte que tu me donnes des nouvelles de ta randonnée, et surtout que tu reviennes ! Je suis en manque de Léa dans ma vie ! ☺

Luv,
Katherine xxx

À : Marilou33@mail.com
De : Stephjolie@mail.com
Date : Mercredi 16 juillet, 11 h 49
Objet : Presque terminé !

Lou !
Enfin, ta randonnée tire à sa fin ! J'espère que ça se passe bien et que tu tiens le coup, malgré le fait que tu ne saches pas trop ce qui se passe avec Cédric. J'ai vraiment confiance : tout va s'arranger ! Dis-toi que même s'il a dû quitter le camp, tu pourras le retrouver dans dix jours !

De mon côté, mes retrouvailles ont été moins joyeuses que je l'espérais. Seb m'a appelée dès son arrivée chez lui. Je pensais qu'il allait m'inviter à le rejoindre sur-le-champ, mais il m'a plutôt annoncé que ses amis (JP et Thomas) avaient organisé une soirée de gars au garage et qu'il avait envie d'aller les rejoindre. C'est rare que j'éclate, mais j'ai trouvé ça TRÈS ordinaire.

Seb : Ça ne te dérange pas, hein ? Ils ne m'avaient pas prévenu qu'ils organisaient une soirée, et je ne peux pas vraiment dire non... En plus, ça fait deux semaines que je n'ai vu personne ! Ça va faire du bien de retrouver ma vie sociale.
Moi (d'un ton blessé) : Mais ça fait aussi deux semaines que tu n'as pas vu ta blonde. J'espérais que

ta vie amoureuse te manquerait encore plus que ta vie sociale.

Seb : Évidemment que tu me manques ! Et tu le sais ! C'est juste que je n'ose pas dire non aux gars. JP est célibataire, et Thomas s'est chicané avec Sarah, alors les deux comptent un peu sur moi pour leur remonter le moral.

Moi (d'un ton bête) : Sais-tu pourquoi JP est célibataire ? Justement parce qu'il était incapable d'accorder la priorité à Marilou ! Et Thomas faisait pareil avec Léa, et je suis certaine que l'histoire se répète avec Sarah ! Et si tu veux finir comme eux, tu es bien parti !

Seb (d'un ton piteux) : Ben voyons, mon canard ! Ça ne te ressemble pas de te choquer comme ça. Je comprends que ça te déçoive, et je te promets qu'à partir de demain matin, je serai tout à toi !

J'ai fini par soupirer et raccrocher. Est-ce que ça te rappelle de beaux souvenirs ? ;) Je sais que Seb est gentil et attentionné, mais on dirait qu'en présence de JP et Thomas ils entretiennent leur mollesse et ça m'énerve.

La bonne nouvelle, c'est que Seb est pratiquement à mes pieds depuis ce jour-là ! Lol ! Au moins, je vois qu'il se sent mal et qu'il est prêt à se rattraper, mais je m'arrange pour m'occuper aussi et ne pas toujours être disponible quand lui le veut ! Maintenant que Laurie est rentrée, j'ai même un semblant de vie sociale ! Lol !

Parlant de Laurie, j'ai un bon potin pour toi. Avant-hier, elle est revenue de son séjour d'immersion, et elle a demandé la permission à sa mère d'organiser une petite fête chez elle pour célébrer son retour. Même si elle ne supporte pas vraiment Sarah et ses amies, elle les a tout de même invitées, en espérant qu'elles traînent William, leur ami qu'elle trouvait *cute*, et c'est ce qu'elles ont fait.

Il me manque des bouts de la soirée puisque j'ai passé (beaucoup) de temps à embrasser Seb, qui se sentait repentant, mais à un moment donné, j'ai réalisé que Laurie était en train de *frencher* le gars en question.

Quand tout le monde est parti (je dormais chez Laurie), elle m'a raconté que William lui avait dit qu'il n'arrêtait pas de penser à elle depuis qu'ils s'étaient rencontrés et qu'il aimerait vraiment la revoir dans les partys. Bref, elle a succombé et elle l'a laissé l'embrasser.

Le problème, c'est que le lendemain, Sarah Beaupré lui a envoyé un SMS qui disait : «Ne crois pas ce que William t'a dit! Il a une blonde et il est vraiment *player*!» Tu connais Laurie et son caractère! Elle était dans tous ses états. Elle s'en voulait d'être tombée dans le piège. Depuis deux jours, elle croit que tous les gars de la planète sont des crosseurs et elle cherche à se venger! J'ai hâte que tu arrives pour que tu m'aides à la calmer. Lol!

Bon, je dois filer, car je vais rendre visite à ma grand-mère aujourd'hui. Je t'embrasse très fort, et j'espère de tout cœur que tout s'arrangera avec Cédric !

Donne-moi des nouvelles !
Steph xx

P.-S. : J'avoue que je me suis tenue loin de JP pendant toute la durée du party ! Comme je ne suis pas capable de mentir, je n'avais aucune envie qu'il me fasse subir un interrogatoire à ton sujet et que je sois obligée de lui dire la vérité ! Bref, il ne sait rien ! :)

À : Stephjolie@mail.com
De : Marilou33@mail.com
Date : Jeudi 17 juillet, 13 h 33
Objet : De retour !

Coucou !
Je viens juste de lire ton courriel, et je voulais prendre deux minutes avant de me rendre aux douches pour te rassurer ! Premièrement, Léa et moi sommes encore vivantes, même si ça n'a pas toujours été de tout repos ! Deuxièmement, dès que je suis arrivée ce matin, j'ai couru vers le chalet de Cédric et Julien pour avoir des nouvelles, mais il n'y avait personne.

Mon cœur battait à tout rompre, car j'ai pensé à cela durant tout notre séjour en camping et que j'avais un mauvais pressentiment, mais quand je suis retournée à mon chalet, je suis tombée nez à nez avec Cédric ! Il m'a dit que le directeur du camp lui avait dit qu'il avait entendu des rumeurs selon lesquelles il fréquentait une campeuse, mais Cédric a tout nié. Il lui a simplement expliqué qu'il était tombé par hasard sur une vieille copine qu'il avait déjà fréquentée (moi) et qu'il passait du temps avec elle, mais qu'il ne me manquait pas de respect et qu'on pouvait lui faire confiance.

Heureusement, le directeur lui a simplement donné un avertissement en lui disant qu'il l'avait à l'œil. Cédric m'a dit qu'il faudrait être encore plus prudents. En gros, on peut passer du temps ensemble, mais il faut éviter que quiconque nous voie nous embrasser. Même si je sais que ce ne sera pas évident de lui résister, je préfère que la relation soit platonique et qu'il puisse rester auprès de moi.

En ce qui concerne Laurie, tu lui diras que je suis vraiment désolée pour elle. Je n'en reviens pas à quel point les gars peuvent être menteurs, des fois ! Heureusement qu'il existe des spécimens comme Seb et Cédric pour nous prouver qu'ils ne sont pas tous cons ! Lol !

Parlant de Seb, j'avoue que ton histoire ne me rappelle pas de bons souvenirs. Je sais que JP, Seb et Thomas ont le don de s'entretenir dans leur mollesse, mais j'ai quand même espoir que Seb soit différent des deux autres ! :)

Je vais me doucher, mais j'essaierai de te téléphoner ce soir pour te raconter nos péripéties du camp ! Je dois appeler mes parents pour les rassurer, mais s'il me reste des minutes dans mon compte Skype, je pourrai te raconter nos aventures de vive voix !
Lou xox

À : Léa_jaime@mail.com
De : Jeanneditoui@mail.com
Date : Jeudi 17 juillet, 15 h 21
Objet : Toujours vivante ?

Léa ! Je m'inquiète ! Es-tu rentrée de ta randonnée ? Est-ce que ça s'est bien passé ?

J'espère que ton moral va un peu mieux ! ☺ Sache que je suis tout à fait d'accord avec Marilou : tu es super belle, tu as tout pour plaire et tu as plein de prétendants qui te tournent autour. Alors, il ne faut surtout pas que tu doutes de toi ! En plus, tu as de bons amis sur qui tu peux toujours compter. Ne va pas croire que tu es seule au monde ! Évidemment que tu as encore ta place parmi nous ! Que seraient les trois mousquetaires sans toi ?

Ici, c'est toujours pareil : je passe beaucoup de temps avec Alex. J'essaie de jouer au tennis au moins trois fois par semaine. En fin de semaine, je vais à Québec avec mes parents. Ça me fera du bien de changer un peu de décor.

Je n'ai pas reparlé à Maude depuis l'incident de La Ronde. C'est mieux de laisser retomber la poussière avant la rentrée.

Aujourd'hui, il tombe des cordes ! Alex passe la journée avec Éloi, et j'ai promis à Katherine de la rejoindre chez elle dans une heure. Je crois qu'elle a besoin de se changer les idées, car elle ne fait que penser à son Mike et est en train de devenir folle ! ;)

Donne-moi rapidement de tes nouvelles. Je veux m'assurer que tu as survécu à ton séjour en pleine nature !
Jeanne xx

À : Jeanneditoui@mail.com
De : Léa_jaime@mail.com
Date : Jeudi 17 juillet, 16 h 25
Objet : Une randonnée à pieds nus

Salut, Jeanne !
Premièrement, merci pour ton message d'encouragement ! C'est vrai que j'avais le moral plutôt à plat
avant de partir en excursion... :)

Je viens d'ailleurs de rentrer de ma randonnée. Tu
ne peux même pas savoir à quel point j'ai souffert !
Évidemment, il a plu pendant les trois jours que nous
avons passés dans la forêt. Dès la première heure,
j'ai réalisé que mes bottes de pluie étaient trouées.
Comme les moniteurs avaient insisté pour que nous
trimballions le moins d'effets personnels possible,
personne n'avait apporté de bottes de rechange.

Julien le ténébreux a eu la super idée de mettre des
sacs de plastique dans mes bottes pour éviter que je
ne me trempe trop les pieds, mais sa solution s'est
rapidement avérée un échec, car 1) les sacs ont déteint
sur mes pieds, 2) le plastique collait à ma peau, et 3)
mes chaussettes étaient aussi trempées, alors j'avais
toujours les pieds aussi mouillés.

En plus, après la première journée de randonnée, j'ai
réalisé que j'avais de grosses ampoules aux talons. Je

ne pouvais même plus mettre mes bottes sans hurler de douleur. J'ai donc décidé de faire le reste de la randonnée en gougounes, mais j'ai tellement marché que je me suis fait un bobo entre deux orteils ! Hier, la douleur était si intense que j'ai finalement abdiqué. J'ai décidé de marcher les deux derniers kilomètres pieds nus. Comme il avait plu, le sentier en terre battue était boueux. C'était plutôt agréable aux pieds, même si je marchais beaucoup plus lentement que les autres et que les enfants du groupe se permettaient de rire de moi. Étoile Énervante a aussi réussi à me taper royalement sur les nerfs.

Étoile Énervante (avec un sourire feint) : Ma pauvre Écureuil Rôti, tu n'es vraiment pas chanceuse ! En plus, ça te force à traîner la patte et à ne pas pouvoir suivre le groupe ! Mais ne t'en fais pas, je suis là pour tenir compagnie à Marilou.
Moi (pince-sans-rire) : Wow, merci ! C'est gentil.
Marilou : Ben non, voyons ! Même si Léa est plus lente que le reste du groupe, je vais rester avec elle ! Ce n'est pas de sa faute si elle a des problèmes de chaussures !
Moi : Non ! Ce n'est pas non plus de ma faute si je m'appelle Écureuil Rôti et si je suis coincée dans un camp à prendre soin d'un groupe d'enfants incontrôlables !
Julien le ténébreux (qui était derrière nous pour fermer la marche) : Allons, Écureuil, ne sois pas de mauvaise

foi ! Ton nom est super *cute*, et c'est génial de pouvoir transmettre ton savoir à des jeunes !

Moi : Oui, mais ils n'ont aucun respect envers moi. Ils ne me prennent pas au sérieux. Ils m'appellent Écureuil Pourri ! Chaque matin, ça m'angoisse d'aller travailler !

Il y a eu un moment de silence, puis tout le monde a éclaté de rire. Honnêtement, ça m'a fait du bien. Quitte à accumuler les malheurs, aussi bien en rire, non ? !

Pendant notre séjour dans les bois, j'ai partagé ma tente avec Marilou, Étoile Énervante et Koala. Comme on était en nombre impair de gars et de filles, les moniteurs ont accepté que Koala dorme avec nous, ce qui était vraiment *cool*, car ça a permis à Marilou de mieux le connaître, et à Koala d'être plus à l'aise avec elle. Le soir, on se racontait des histoires en chuchotant. On a bien rigolé tous les quatre. Même Étoile m'a paru moins énervante quand nous nous retrouvions sous la tente ! Le reste du temps, c'était plus éprouvant, car nous devions marcher, ou alors préparer le campement ou le feu, ou encore chanter des chansons débiles avec les enfants de notre groupe.

Évidemment, mon épisode de pieds boueux n'a pas aidé à ce que je me rapproche de Julien. Mais la randonnée m'a quand même permis de l'admirer de plus près pendant trois jours. Hier soir, alors qu'il jouait de la guitare autour du feu et que je le regardais d'un air langoureux, Koala m'a surprise et m'a donné un coup de coude amical.

Koala : Dis donc, il ne te sort vraiment pas de la tête, ton Julien, hein ?
Moi (en rougissant) : Hein, quoi ? Je ne vois pas de quoi tu parles !
Koala : Allons, Léa ! On en a déjà discuté. Je vois bien qu'il te fait encore de l'effet.
Moi : Mouais, mais plus le temps passe, et plus je suis certaine que ça n'aboutira nulle part, cette histoire. Je ferais sans doute mieux de concentrer mon attention ailleurs...
Koala (en rougissant) : Ah ouais ? Genre, où ?

Je ne suis pas si naïve, je sais bien qu'il espérait que je lui dise que je voulais me concentrer sur lui, mais je ne voulais pas lui donner de faux espoirs, ni le blesser inutilement. Je me suis donc contentée de sourire, de soupirer et de changer de sujet.

On est allés se coucher, mais je n'arrivais pas à dormir. J'ai finalement réussi à m'assoupir en m'imaginant un monde parfait dans lequel Julien succombait à mes charmes, mais j'ai été réveillée par des grincements à l'extérieur de la tente. J'ai tendu l'oreille, le cœur battant. Je n'hallucinais pas : il y avait bel et bien une bête qui marchait à quelques mètres de moi. J'ai décidé de prendre mon courage à deux mains, de faire de moi un brave écureuil et de sortir de la tente sur la pointe des pieds pour savoir quel danger nous menaçait. J'ai attendu que mes yeux s'habituent à la pénombre, puis j'ai regardé autour, mais je n'ai rien vu. Je suis restée immobile pendant quelques instants dans l'espoir de faire revenir le monstre qui essayait de nous attaquer.

Quelques secondes plus tard, j'ai entendu des craquements à ma gauche. Je me suis approchée tranquillement, puis j'ai vu une ombre de la taille d'un ours parmi les buissons. Je me suis aussitôt mise à hurler.

Moi : AU SECOURS ! IL Y A UN OURS ! ! !

Julien et les autres moniteurs sont immédiatement sortis de leurs tentes, suivis de près par presque tous mes « amis » campeurs.

Julien : Qu'est-ce qui se passe, Écureuil Rôti ?
Moi : Il y a un ours là-bas ! Je l'ai vu !

Les moniteurs ont aussitôt braqué leurs lampes en direction de l'ombre menaçante que j'avais repérée. On a aussitôt aperçu une silhouette parmi les arbustes.

Julien : Hum... Ça ne ressemble pas à un ours.

Étoile Énervante (d'un ton paniqué) : Eille ! J'essaie de faire pipi ! Est-ce que ce serait possible de me laisser tranquille !

Moi : Oups !

Les moniteurs ont aussitôt éteint leurs lampes, et tous les campeurs ont éclaté de rire. Non seulement ils avaient surpris Étoile Énervante en train de faire pipi, mais j'avais eu l'audace de la confondre avec un ours.

Marilou (en s'approchant de moi) : Je pense qu'Étoile est officiellement humiliée.

Moi : Mais je te jure que je n'ai pas fait exprès ! Elle m'a réveillée en marchant dehors, et j'ai vraiment cru qu'il y avait un ours dans les buissons !

On a échangé un regard et on a éclaté de rire, nous aussi. Je sais que c'est humiliant pour Étoile Énervante, mais force était d'admettre que c'était plutôt drôle !

J'ai regagné notre tente et j'ai fermé les yeux pour ne pas avoir à affronter Étoile Énervante. Comme elle a mis plus de dix minutes à revenir, je crois qu'elle a fait exprès d'attendre que tout le monde se soit rendormi pour éviter d'être humiliée davantage.

Ce matin, j'étais déterminée à parler de la pluie et du beau temps et à agir comme si cet incident ne s'était jamais produit, mais comme la majorité des campeurs se moquaient encore de « l'ours qui fait pipi », j'ai décidé de prendre le taureau par les cornes et de m'excuser.

Moi : Je suis désolée, Étoile. Je ne voulais pas t'humilier ! Je croyais sincèrement qu'il y avait un animal sauvage qui rôdait autour de la tente...
Étoile (d'un ton très sérieux) : Le problème, ce n'est pas que les gens m'aient vue faire pipi, c'est plutôt que tu confondes mes pas avec ceux d'un ours. Je ne veux pas te faire de peine, Écureuil Rôti, mais je ne crois pas que tu sois prête à être une apprentie monitrice.

Je suis restée bouche bée pendant quelques secondes. Je ne savais pas si elle faisait une blague ou si elle croyait vraiment que son commentaire allait me faire de la peine, comme si j'aspirais secrètement à une carrière de monitrice.

Quand j'ai réalisé qu'elle ne blaguait pas, je lui ai souri et j'ai hoché légèrement la tête.

Moi : Tu as raison, Étoile. Je ne crois pas que ce soit un travail qui soit fait pour moi.

On s'est remis en route un peu plus tard, et nous avons finalement regagné le camp en fin de matinée. Je me suis empressée de prendre une douche chaude bien méritée et de me nettoyer les pieds avec acharnement pendant au moins vingt minutes. Comme les résultats sont loin d'être concluants, je pense que je demanderai à ma mère de m'accompagner pour une séance de pédicure dès mon retour !

Je te laisse, je veux profiter de ma dernière journée de congé pour me reposer et lire avant de reprendre mon rôle d'Écureuil Pourri demain matin !

J'ai hâte de te voir !
Léa xox

Chapitre 5
Surprise !

Le Blogue de Manu

Inscris un titre : Je me sens seule

Écris ton problème : Salut, Manu ! Je t'écris parce que je suis encore au camp, et que même si les choses se sont finalement arrangées avec ma *best*, je me sens un peu seule. Je ne comprends pas trop ce qui m'arrive. Après mes deux dernières relations, j'avais vraiment envie d'être célibataire, mais à présent, je m'ennuie d'un amoureux qui pense à moi. ☹ J'ai peur de ne plus jamais connaître l'amour et de rester seule pour toujours. Aide-moi !
Léa xox

Manu répond à deux questions par semaine. Tu seras peut-être choisie...

18 juillet 8 h 22

Salut, Lou!
En ce moment, tu as tellement l'air bien dans
ton lit, et je t'envie TELLEMENT de pouvoir
dormir! Ce matin, quand je suis allée manger
mon gruau, avec ma gamelle, assise auprès
du feu, loin des autres, Chouette Motivée est
venue crier dans mon oreille avec un air pépé
qui m'a donné envie d'aller te rejoindre et de
faire semblant d'être malade!

Elle : Salut, Écureuil Rôti! Dis donc, je
remarque que tu te tiens toujours loin du
reste de la gang, le matin! Me semble que
ce serait le *fun* que tu jases avec eux. Tu
sais, sont ben *l'fun*, eux aussi.
Moi : Merci, Chouette Motivée, mais je ne
suis pas une fille *full* matinale. J'aime mieux
rester dans mon coin.

Elle : Allons, mon petit écureuil d'amour !
Il faut que tu sois solidaire du reste de
la gang ! Surtout que ce soir, je vous ai
préparé une belle soirée de jeux autour du
feu.

Moi : Euh... Est-ce que Brise, Koala, Étoile et
moi, on doit y être ? D'habitude, on n'a pas
à participer aux activités des enfants... Euh...
Je veux dire, des plus jeunes du groupe. On
nous considère plus comme des apprentis
moniteurs.

Elle (en posant ses mains sur ses hanches
en signe de désaccord) : Évidemment que
vous devez être là ! J'ai d'ailleurs déjà
mentionné aux autres moniteurs que je
trouvais que vous traîniez trop avec les
plus grands. Moi, je veux de la solidarité
dans mon groupe. Vous êtes tellement une
belle gang !

Moi : ...

Elle : Tu passeras le mot à tes amis ! À ce soir ! Ça va être *full* tripant !

Réalises-tu que la Chouette Motivée est en train de ruiner notre dernière semaine en nous forçant à entretenir des liens avec les enfants de notre groupe ?! Moi, j'imaginais qu'on pourrait aller aux soirées des moniteurs, et que j'arriverais peut-être enfin à me déniaiser et à embrasser Julien. C'est ma résolution de la semaine : maintenant que la fin approche, je me dis que je n'ai rien à perdre !

Tu m'aideras à la convaincre, s'il te plaît ! Elle me tape trop sur les nerfs pour que je gère ça toute seule ! On se voit après le souper !
Léa xox

Vendredi 18 juillet

Léa (en ligne): Est-ce une apparition? Es-tu vraiment vivant?

16 h 01

Alex (en ligne): Oui, oui, je suis vraiment vivant!! Comment tu vas, mon petit rongeur?

16 h 02

Léa (en ligne): Pas mal, à part que je me sens délaissée par l'un de mes bons amis...

16 h 03

Alex (en ligne): Je ne vois pas de qui tu parles!;) Sans blague, désolé d'avoir disparu du monde virtuel. Je n'ai pas d'excuse, si ce n'est que je suis un gars, et que je ne suis pas *full* bon pour écrire des courriels. Tu me pardonnes? ☺

16 h 04

Léa (en ligne): Bon! OK. De toute façon, j'avais quand même de tes nouvelles par Jeanne! Elle est ma source de tous les potins montréalais! Lol!

16 h 04

Alex (en ligne): Ah oui? Je suis curieux... Quel genre de potin?

16 h 04

Léa (en ligne): Je ne peux pas divulguer les informations secrètes qui me sont transmises...;)

16 h 05

Alex (en ligne): Ben, là! Si ça parle de moi, je veux savoir!

16 h 05

Léa (en ligne): Qui dit que ça parle de toi?

16 h 05

Alex (en ligne): Hum!... Donc Jeanne ne t'a pas parlé de moi?

Léa (en ligne): Pas vraiment... Pourquoi? Qu'est-ce qu'elle aurait dû me raconter à ton sujet?

16 h 06

Alex (en ligne): Rien, rien... À part que je suis irrésistible!;)

16 h 07

Léa (en ligne): Tu me fais penser à mon frère quand tu parles comme ça!

16 h 07

Alex (en ligne): Félix est une bonne source d'inspiration! D'ailleurs, je l'ai croisé la semaine dernière avec Éloi, dans une fête chez Édith. Il est très cool, ton frère!

16 h 08

Léa (en ligne): Ouais, je sais. Il est tellement cool et tellement populaire que ça me fait souvent me sentir comme ça: .

16 h 08

Alex (en ligne): C'est quoi, ça? Une étoile? Une vedette? Une femme flamboyante?

16 h 09

Léa (en ligne): Ben non, niaiseux! Un petit pois! Lol!

16 h 11

Alex (en ligne): Bon, et quand est-ce que tu rentres, petit écureuil rôti?

16 h 11

Léa (en ligne): Dans huit jours déjà! C'est fou! Autant j'ai souffert par moments en étant ici, autant je dois avouer que le temps a filé super vite, et que certaines personnes vont me manquer!

16 h 12

Alex (en ligne): Ah oui? Genre, un prétendant?

16 h 12

Léa (en ligne): Non! Mais il y a un gars qui est devenu un bon ami. Il habite à Blainville, alors je ne pourrai pas le voir souvent, mais il va me manquer.

16 h 13

Alex (en ligne): Tu perdras peut-être un ami de vue, mais tu en retrouveras un autre! J'ai hâte de te revoir, rongeur. ☺

16 h 13

Léa (en ligne): Moi aussi. Beaucoup, même!

16 h 14

Alex (en ligne): On t'attend la fin de semaine prochaine. D'ici là, essaie de ne pas te faire attaquer par des animaux sauvages, et ne brise pas trop de cœurs!

16 h 14

Léa (en ligne): Je vais faire mon possible! *Bye*, Alex!

16 h 12

Alex (en ligne): *Bye*, petite Léa! xx

À : Léa_jaime@mail.com
De : Jeanneditoui@mail.com
Date : Samedi 19 juillet, 11 h 25
Objet : Plus qu'une semaine !

Salut !

Je t'écris de notre chambre d'hôtel à Québec. Mes parents lisent le journal, et j'ai demandé à mon père de me prêter son iPad pour écouter la musique de One Direction (J'avoue que tu avais raison : on devient accro !) et pour pouvoir t'écrire un petit courriel !

Ça fait du bien d'être loin de Montréal un peu ! On dirait que j'étais coincée dans un tourbillon d'émotions depuis deux semaines. J'avais besoin de prendre un peu de recul. Je ne vais pas t'embêter avec tout ça par courriel puisque tu rentres dans une semaine et que je pourrai en discuter de vive voix avec toi !

J'ai aussi essayé d'être un peu plus présente auprès de Katherine, mais sans blague, elle ne veut jamais sortir de chez elle, au cas où son Mike se connecterait sur Skype. Elle passe des heures à espionner son Facebook pour s'assurer qu'aucune fille louche ne lui écrit. Elle veut convaincre l'humanité que sa relation peut fonctionner malgré la distance. Tu sais que j'ai mes doutes, mais je ne veux pas jouer le rôle de la rabat-joie, alors j'essaie d'être positive, tout en l'encourageant à sortir de chez elle et à respirer le grand air. J'ai quand même très hâte que tu reviennes pour qu'on soit deux à la tirer hors de son lit !

Et toi ? Comment s'annonce ta dernière semaine en tant qu'Écureuil Rôti ? Une possibilité de rapprochement avec Julien le ténébreux ? Est-ce que Marilou a des plans avec Cédric après le camp ? Son ex lui est sorti de la tête, ou a-t-elle peur de le revoir ?

J'ai très, très hâte de te voir et de discuter avec toi. Tu me manques !
Jeanne xx

À : Katherinepoupoune@mail.com
De : Léa_jaime@mail.com
Date : Samedi 19 juillet, 12 h 29
Objet : J'arrive bientôt !

Salut, Miss Amoureuse !
Alors, toujours au septième ciel avec le beau Mike ? Je sais que tu voulais avoir mes conseils, mais comme tu le dis toi-même, je pense que je ne suis pas la mieux placée pour te dire comment gérer une relation à distance ! ;) Disons que dans mon cas, Thomas ne voulait pas vraiment s'engager, et je sentais que j'étais la seule à m'impliquer, alors que dans ton histoire, à ce que j'en comprends, Mike est prêt à te rendre visite, et vous discutez tous les jours pendant des heures !

Un petit conseil d'amie : essaie de ne pas trop t'isoler chez toi, tu vas devenir folle ! Tu as un cellulaire, alors dis-toi qu'au pire, s'il y a une urgence, il peut te joindre en tout temps ! Sinon, ça te fera une belle surprise lorsque tu rentreras chez toi !

De toute façon, j'arrive très bientôt à Montréal. Je n'hésiterai pas à te sortir de force avec une grue s'il le faut ! Je me suis trop ennuyée de mes amis !! J'ai aussi hâte de retrouver Jeanne et Alex. Je sais qu'ils ont passé beaucoup de temps ensemble, mais comme tu le dis si bien, Jeanne ne veut pas de chum. Je pense vraiment que ce n'est que de l'amitié. J'espère qu'à mon retour, on pourra se retrouver tous ensemble et se changer les idées !

Mon séjour au camp tire déjà à sa fin. Même si quelques trucs vont me manquer, comme mon nouvel ami Koala (Samuel de son vrai nom) et le fait de voir Marilou tous les jours, j'avoue que je suis tannée de dormir dans un chalet humide, de prendre ma douche entourée d'autres filles, de manger autour du feu et de jouer à des jeux débiles avec les enfants du groupe. Hier soir, Chouette Motivée, notre monitrice insupportable, nous a forcés à rester auprès du feu avec le reste de la troupe pour jouer aux mimes et pour se raconter de belles histoires. Koala, Étoile Étincelante, Marilou et moi étions assis dans un coin, en faisant la moue.

Chouette Motivée : Allez-y, gang ! Partagez des aventures, vous aussi ! Écureuil Rôti, tu as certainement une histoire à nous raconter, non ?

Moi : Euh !... Non.

Chouette Motivée : Ben, voyons ! Tout le monde connaît des aventures dans la vie ! Par exemple, parle-nous de quelque chose que tu as vécu et que tu as trouvé difficile.

Moi : Euh... je ne suis vraiment pas certaine que j'ai envie de partager les détails de ma vie avec les autres.

Chouette Motivée : ENWEYE !

Moi : Bon, OK. Une fois, j'ai décidé d'accompagner ma meilleure amie dans un camp. Quand je suis arrivée, j'ai attrapé un gros coup de soleil et les moniteurs ont décidé de m'appeler Écureuil Rôti. J'avais vraiment honte de ce surnom, mais j'ai quand même dû l'endurer pendant quatre longues semaines. En plus, je devais m'occuper d'un groupe de jeunes de neuf à douze ans, qui, eux, s'amusaient à m'appeler Écureuil Pourri. Je pense que c'est une anecdote assez honteuse qui relate un moment difficile. Est-ce qu'on peut passer à quelqu'un d'autre, maintenant ?

Tout le monde s'est tu. Chouette Motivée m'a regardée en écarquillant les yeux.

Chouette Motivée : Bon... Euh... Merci d'avoir partagé ça, Écureuil... Je pense qu'on a assez raconté d'anecdotes pour ce soir. J'invite mon collègue Julien le ténébreux à nous jouer un peu de guitare. Chantons avec lui, gang!

J'ai roulé les yeux et je me suis tournée vers Marilou, qui m'observait d'un drôle d'air.

Moi : Quoi? Pourquoi tu me regardes comme ça?

Marilou : Ben... À vrai dire, je suis impressionnée. Il y a un an, tu n'aurais jamais osé répondre comme ça, ni te défendre devant tout le monde. Tu as fait du chemin, Léa, je suis fière de toi!

Koala : Elle a raison, Léa. Tu lui as bien répondu! Je suis épaté!

Moi (en rougissant) : Bon, bon, merci, les amis! Je ne sais pas pour vous, mais je n'ai pas trop envie de rester ici et de chanter des chansons. Est-ce qu'on va dans notre chalet pour potiner?

Koala : Ouais! En plus, il est 21 h 30! Donc, l'activité obligatoire est terminée. Et selon notre horaire, c'est le début de notre «temps libre»! Chouette Gossante ne peut rien nous dire!

On s'est levés. Marilou s'est penchée à mon oreille.

Marilou (en chuchotant) : T'es sûre que tu ne veux pas rester ici? Julien est là, avec sa guitare...

Moi : Oui, je suis certaine. Je le trouve bien beau, Julien, mais je suis tannée de courir après lui comme une greluche.

Marilou : Wow ! C'est une nouvelle Léa qui apparaît ce soir ! Je suis fière de toi, ma belle ! Quoique je persiste à croire que si tu fonçais vraiment, tu aurais peut-être une chance avec lui...

Moi : Une chance de me faire rejeter, oui ! Peut-être un autre soir, mais pas maintenant. Allez, viens !

On est donc partis sous le regard abasourdi de Chouette Motivée, qui n'avait effectivement aucune consigne à nous donner puisque l'heure de son activité plate était déjà écoulée.

On s'est installés dans notre chalet, et on a bien rigolé tous les quatre ! Koala est de moins en moins timide avec les deux autres. Étoile Scintillante est de moins en moins possessive avec Marilou lorsqu'on est tous ensemble. Bref, je crois que tout le monde est plus à l'aise, et comme le séjour tire à sa fin, on veut simplement en profiter au maximum !

Parlant de ça, j'ai promis à Koala une super revanche au Monopoly (il fait gris et froid aujourd'hui), alors je dois filer.

J'ai très hâte de te revoir ! Et écris-moi si tu capotes à cause de Mike !

Léa xox

19 juillet 14 h 22

Coucou, Léa!
Cédric est venu me voir juste après
ton départ. Il est entré discrètement
dans notre chalet et il m'a raconté que
Chouette Motivée avait dit à tous les
moniteurs que nous étions effrontés, et
qu'elle ne savait plus comment contrôler
notre groupe de quatre! Franchement! On
ne veut pas se plier à toutes ses volontés,
mais on n'est pas des rebelles, quand
même!

Cédric m'a aussi dit que tout le monde
la trouvait trop intense, et qu'il ne fallait
surtout pas s'en faire avec elle! Il m'a
ensuite invitée à le rejoindre dans son
chalet vers 14 h 30, parce que Julien doit
aller en ville avec Jolie Gazelle (Grrr!) pour

acheter des trucs, et qu'on pourrait être seuls pendant une petite heure! De devoir se cacher autant nous complique la tâche, mais je dois avouer que je trouve ça aussi très excitant! Je pense que je n'ai jamais ressenti une telle dose d'adrénaline de toute ma vie!

Je vais aussi essayer d'en profiter pour discuter avec lui de l'après-camp. Chaque fois que j'essaie d'aborder le sujet, il réussit à s'en sortir ou à parler d'autre chose, mais cette fois-ci, j'ai vraiment besoin de savoir à quoi m'en tenir... Je te tiens au courant!

On se rejoint ici avant le souper, OK?

Je t'aime!
Lou xx

20 juillet 10 h 20

Salut, Lou!
Je me suis réveillée et il fait trop beau pour t'attendre à l'intérieur du chalet! Je m'en vais au lac, puis je vais faire un tour à la salle informatique pour appeler mes parents et prendre mes courriels!

Rejoins-moi là-bas!

Je t'aime!
Léa xx

P.-S.: Je sais qu'hier Cédric ne t'a pas donné l'occasion d'aborder le sujet puisqu'il passait son temps à t'embrasser, mais essaie de lui parler, aujourd'hui! Sinon, ça va te tracasser tout le reste du séjour!

Dimanche 20 juillet

13 h 01

Léa (en ligne): Salut, le frère! Ça fait longtemps que je n'ai pas eu de tes nouvelles! Chaque fois que je parle aux parents et que je leur demande comment tu vas, ils me disent que tu n'es jamais à la maison!

13 h 02

Félix (en ligne): Salut, la petite! Ouais, j'ai trouvé un emploi à la librairie du coin, alors entre le travail, les filles, les amis et la fête, il ne me reste pas trop de temps pour t'écrire.

13 h 02

Léa (en ligne): Décidément, il est temps que je rentre pour remettre de l'ordre dans la famille! Lol! Et qui sont ces filles dont tu parles?

13 h 03

Félix (en ligne): En fait, depuis une semaine, il y en a une un peu plus sérieuse que tu risques de croiser à ton retour. Ça clique vraiment entre nous...

Léa (en ligne): Est-ce que c'est l'une de mes amies?

Félix (en ligne): Non! Au contraire, elle a dix-sept ans, celle-là! Je les choisis plus vieilles, maintenant! Elle s'appelle Marie-Pier, et elle est vraiment belle.

Léa (en ligne): OK. Et à part son physique incroyable, qu'est-ce qu'il y a de si spécial à propos de Marie-Pier?

Félix (en ligne): Euh!... Elle est indépendante, *hard to get* et... Est-ce que je t'ai dit qu'elle était *chicks*?

Léa (en ligne): Tu m'énerves!

13 h 05

Félix (en ligne): Hé! Hé! Quand reviens-tu? J'ai hâte que les parents cessent de s'acharner sur moi!

13 h 06

Léa (en ligne): Je reviens samedi. Maman et papa viennent me chercher au terminus, et ils m'ont dit qu'ils te demanderaient d'y être, toi aussi, question qu'on s'organise une petite soirée familiale.

13 h 06

Félix (en ligne): C'est cool. Je ne travaille pas samedi. Je pourrai amener Marie-Pier pour que vous puissiez la rencontrer.

13 h 07

Léa (en ligne): «Joie!»;)

13 h 07

Félix (en ligne): Et comment ça se passe, le camp? Toujours aussi heureuse d'être un écureuil brûlé?

13 h 08

Léa (en ligne): GRRR! Les parents te l'ont dit? Ils sont tellement traîtres!

13 h 08

Félix (en ligne): Ha, ha, ha! Je n'en reviens pas qu'ils t'aient donné un nom pareil!

13 h 08

Léa (en ligne): Ne m'en parle pas! Ça fait trois semaines que je vis dans la honte la plus totale. Comment veux-tu impressionner un gars quand tu t'appelles «Écureuil Rôti»?

13 h 09

Félix (en ligne): Honnêtement? Aucune chance que ça arrive!;) Hey, je dois déjà y aller! C'est ma journée de congé et je vais au cinéma avec Marie-Pier.

13 h 09

Léa (en ligne): C'est bon, je te raconterai la suite samedi! En attendant, essaie de faire acte de présence un peu à la maison! Sinon, les parents vont tellement être en manque d'amour qu'ils vont me barricader pendant des semaines!;)

Félix (en ligne): Je te promets de faire un effort! xx

À : Marilou33@mail.com
De : Stephjolie@mail.com
Date : Mardi 22 juillet, 14 h 43
Objet : Potin !

Salut !

Alors, comment vas-tu depuis le retour de la randonnée ? Toujours le grand amour caché ? Savez-vous ce que vous allez faire après le camp ? Il habite près d'ici, non ? Vous serez sûrement capables de garder contact et de vous voir assez souvent ! En tout cas, je te le souhaite !

Ici, c'est toujours la même routine. Je partage mon temps entre ma famille, Seb et Laurie, qui se remet peu à peu de ses émotions. Depuis son aventure avec le gars crosseur, on a décidé de se tenir loin de Sarah Beaupré et de sa petite gang, mais ce n'est pas toujours évident pour moi, puisque Seb est très proche de Thomas, qui traîne toujours avec eux.

J'ai d'ailleurs un petit potin pour toi ! J'espère que ça saura égayer ta journée au camp.

Hier, Seb m'a suppliée de l'accompagner chez Thomas, même si Sarah et les autres allaient y être aussi, car il voulait passer du temps avec moi. J'ai fini par accepter.

Quand on est arrivés, Géraldine, Sarah et Odile étaient assises sur un sofa loin des gars. Je sentais qu'il y avait de l'électricité dans l'air.

Sarah : Steph, tu peux venir t'asseoir avec nous si tu veux.
Moi : Euh ! OK.

Je suis allée les rejoindre, et Seb est allé retrouver Thomas et William (le gars crosseur qui a *frenché* Laurie).

Moi : Qu'est-ce qui se passe ? Pourquoi vous êtes assises aussi loin des gars ? Vous vous êtes chicanés ?
Sarah : Ouais, on pourrait dire ça. En fait, hier soir, Géraldine a fait comprendre à JP qu'elle était intéressée, mais il lui a dit qu'il était encore amoureux de Marilou.
Géraldine : Je trouve ça *full* blessant de faire une déclaration et de me faire rejeter.
Moi : Ouais, je comprends ! Mais c'est mieux qu'il soit honnête avec toi plutôt que de jouer avec tes sentiments, non ?

Les trois filles m'ont regardée comme si je venais de dire la pire connerie au monde.

Odile : Moi, je pense que quand une fille comme Gé fait une déclaration à un gars, il est mieux de saisir sa chance et de fermer sa trappe.

Sarah : Je suis d'accord avec elle. Et tantôt, j'ai dit à Thomas que je ne voulais pas qu'il invite JP par solidarité pour Gé, mais il a ri dans ma face ! Il trouve que je suis *full* dramatique, genre, et que JP est ben correct, parce qu'il lui a dit la vérité.

Moi : Si je peux me permettre, je pense un peu comme Thomas. Je suis désolée, Géraldine ! Je sais que ce n'est pas le *fun* de se faire rejeter, mais en même temps, JP ne peut pas se forcer à t'aimer.

Elles m'ont encore dévisagée comme si j'étais un monstre. J'ai décidé d'aller rejoindre Seb et de m'enfuir au plus vite, loin de ce petit groupe de harpies voraces ! Non, mais ! Pas étonnant que leur ami soit un crosseur de première classe avec une mentalité pareille ! Réalises-tu qu'elles jugent JP parce qu'il a été honnête avec Géraldine ?

J'espère que l'histoire ne t'affecte pas trop, même si ça concerne JP. Même s'il est encore amoureux de toi, je sais que tu as eu de bonnes raisons de mettre fin à votre relation. Ce ne sont pas des choses qui peuvent s'arranger en claquant des doigts. Sans compter que tu as maintenant un nouveau chum romantique qui t'offre des bijoux et des fleurs ! :)

J'espère que tu passes toujours un bon moment là-bas, et que tu profites à fond des derniers jours au camp! Donne-moi des nouvelles dès que tu peux! J'ai déjà très, très hâte de te voir, la fin de semaine prochaine!

D'ailleurs, tu rentres à quelle heure? On se voit quand? Steph xxx

23 juillet 14 h

Salut, Léa!
Je n'ai pas osé relater ma conversation
avec Cédric devant Koala, mais en gros, ça
ne m'a pas avancée à grand-chose.

Moi : Cédric, j'aimerais ça qu'on discute un
peu de l'après-camp...
Cédric (en m'embrassant) : On a seulement
vingt minutes ensemble avant que Julien
et Jolie Gazelle ne reviennent au chalet,
alors je ne veux pas perdre mon temps
à discuter de choses qu'on ne peut pas
contrôler...
Moi : Je sais, mais je tiens à toi, tu
comprends? J'aimerais savoir qu'on a un
plan, et que ça ne va pas finir comme l'an
dernier...

Cédric : Ça ne peut pas finir comme
l'an dernier, puisque rien n'avait encore
commencé !

Moi : Mais tu vois ce que je veux dire ?

Cédric (en me regardant intensément) :
Marilou, ça se voit que je suis fou de
toi, alors pourquoi tu stresses avec des
bagatelles ? Profite du moment présent.
On aura amplement le temps de discuter
lorsque les autres seront là...

En c'est comme ça qu'il m'a convaincue,
comme toutes les autres fois, de le laisser
m'embrasser sans parler de ce qui va
nous arriver. Crois-tu que je suis en train
de devenir gossante avec mes questions ?
Peut-être qu'en fait, il a raison ? Qu'on est
tellement fous l'un de l'autre que je n'ai
aucune raison de m'inquiéter ?

Bon, je dois aller prendre ma douche avant
de rejoindre Étoile à la cafétéria.
On s'en reparle ce soir !
Lou xox

À : Stephjolie@mail.com
De : Marilou33@mail.com
Date : Jeudi 24 juillet, 13 h 44
Objet : Comme le temps file !

Salut, Steph !
Premièrement, merci de m'avoir raconté le potin. Même si je file le parfait amour avec Cédric et que je me sens dans une petite bulle isolée dans la forêt, ça me fait quand même du bien (à l'orgueil, principalement) de savoir que non seulement JP éprouve encore des sentiments pour moi, mais qu'en plus, il a rejeté Géraldine.

La réaction de Sarah et de ses nunuches teintes ne m'aide pas à les respecter davantage. En fait, je trouve ça même complètement absurde que Thomas s'acharne à sortir avec une fille comme elle. Mais bon, du moment que ça le tient loin de Léa, ça m'arrange ! ;)

En ce qui concerne JP, j'avoue qu'en ce moment, je suis tellement éprise de Cédric que je n'arrive pas à savoir ce que je ressens. C'est tellement différent d'être avec un gars attentionné, qui est toujours prêt à me voir et qui me comble de petits cadeaux et de surprises ! Disons que ça me montre encore plus à quel point JP et moi étions incompatibles. Je réalise que j'aime ces petites attentions-là, et qu'il faudrait que ça change BEAUCOUP avec JP pour que ça puisse marcher.

De toute façon, je veux vraiment que ça fonctionne avec Cédric.

J'ai essayé d'aborder le sujet de l'après-camp avec lui à plusieurs reprises, mais chaque fois, il me sort une théorie selon laquelle tout va s'arranger, qu'au fond, si on est fait l'un pour l'autre, on n'a pas besoin de stresser avec les détails tout de suite, qu'il vaut mieux profiter du moment présent. J'aimerais être la fille qui ne songe pas au futur et qui croit au destin et tout, mais je ne suis pas très zen, ni du genre *carpe diem*. J'ai besoin de savoir, et j'aime avoir un plan ! Léa m'encourage aussi à mettre ça bien au clair avec lui avant mon départ pour m'éviter de mauvaises surprises...

Ce soir, il y a une petite fête au chalet de Jolie Gazelle et de Chouette Motivée pour célébrer la fin du camp. Presque tous les moniteurs et les apprentis moniteurs seront là (sauf ceux qui doivent rester près des campements), alors ça risque d'être super *cool* !

Comme Cédric et moi ne pouvons pas nous afficher devant les autres, je me suis dit que j'en profiterais pour m'asseoir avec lui et pour en discuter. Pour une fois, il ne pourra pas m'interrompre avec ses baisers !

Je te laisse, car je veux aller nager avant de travailler à la cafétéria, mais j'ai aussi très hâte de te voir et de tout te raconter de vive voix ! Comme j'arrive assez tard samedi, je pense passer la soirée avec mes parents et mon petit frère, mais je m'arrangerai pour être chez toi dimanche le plus tôt possible !

Lou xox

24 juillet 23 h 40

Salut, Lou!

Je me suis sauvée en douce de la fête. Tu ne devineras jamais ce qui s'est passé... Pendant que tu discutais avec Cédric, j'ai décidé de prendre mon courage à deux mains et d'avouer à Julien que je le trouvais irrésistible. Je l'ai cherché partout, et je l'ai finalement aperçu dans le chalet... en train d'embrasser passionnément Jolie Gazelle. Je sais que c'est con, mais ça m'a vraiment donné un choc. J'étais avec Koala, et je n'ai pas pu m'empêcher d'éclater en sanglots.

Koala m'a consolée et m'a entraînée aux abords de la forêt parce que je ne voulais pas que tous les autres se rendent compte que je pleurais.

Lui (en me serrant dans ses bras): Il ne
faut pas te mettre dans cet état-là pour
un gars comme Julien. Il est trop stupide
pour voir à quel point tu es belle, et drôle,
et originale.

Moi (en relevant la tête tout en
sanglotant): Originale?

Lui (doucement): Oui, originale! Je n'ai
jamais connu une fille comme toi, Léa, et
c'est grâce à toi si j'ai adoré mon séjour au
camp! Je tiens vraiment à toi, tu sais...

Moi (en reniflant dans son chandail): Merci.
T'es gentil.

Lui (en prenant ma tête pour que je le
regarde dans les yeux): Je suis sérieux, Léa.
Je tiens vraiment à toi. Vraiment... comme
dans plus qu'en ami. Je ne veux pas perdre
ton amitié pour ça, mais je ne voulais pas
partir d'ici sans te le dire.

Je l'ai regardé et j'ai vu une lueur d'espoir dans ses yeux. Au fond, ça fait des semaines qu'il m'aime en silence, et qu'il éprouve pour moi le même désir que celui que j'entretiens pour Julien le ténébreux. La différence, c'est que je tiens beaucoup à lui, et que je ne veux pas qu'il souffre et qu'il soit déçu autant que moi je le suis.

Sans trop réfléchir, j'ai donc approché mon visage du sien et je l'ai embrassé.

Ça n'a duré que quelques secondes, et quand je me suis reculée, il avait l'air reconnaissant.

Lui (d'une voix douce) : Merci.
Moi : Merci à toi.

On s'est souri. Je sais qu'il ne se fait pas d'idées et qu'il sait que je ne ressens pas la même chose que lui. Je pense que le baiser n'aura pas trop de répercussions sur notre amitié. Enfin, je l'espère. Mais bon, on part après-demain, alors je n'aurai plus à me soucier de tout cela.

Après le baiser, il m'a raccompagnée jusqu'au chalet parce que je n'avais plus envie de rester là. On a congé demain et on avait prévu de veiller tard et de tout se raconter, mais je suis claquée, alors je vais me coucher.

J'espère que tu passes une belle fin de soirée avec Cédric, et que vous avez enfin pu avoir une discussion sur votre avenir. ☺

À demain,
Léa xox

À : Jeanneditoui@mail.com
De : Léa_jaime@mail.com
Date : Vendredi 25 juillet, 11 h 55
Objet : Dernière journée au camp des horreurs !

Salut, Jeanne !
Eh bien, m'y voilà ! C'est ma dernière journée au camp, et j'avoue que le temps a passé plus vite que je ne l'imaginais. C'est sans doute parce que ça m'a permis de passer un mois avec Marilou et de rigoler comme avant avec elle. On pourra dire qu'on en a vu de toutes les couleurs, ici !

Hier soir, il y avait une petite fête pour célébrer la fin du camp. Je ne rentrerai pas dans les détails (je te raconterai de vive voix), mais disons que la soirée ne s'est pas déroulée comme prévu. J'ai fini par embrasser mon ami Koala après qu'il m'ait fait une déclaration.

Heureusement pour moi, Koala sait que je ne partage pas ses sentiments, et il n'y a pas eu de malaise par la suite. Il a même pris soin de me le dire ce matin, lorsque nous sommes allés prendre notre petit-déjeuner dans la cafétéria (c'était une permission spéciale de « fin de camp » ; les moniteurs nous ont autorisés à manger nos rôties au sec plutôt qu'autour du feu !).

J'ai aussi croisé Marilou en sortant de la cafétéria ce matin. Elle n'avait pas l'air de filer, elle non plus.

Marilou : Salut, Léa ! J'ai lu ton message, ce matin. Je suis désolée que ça n'ait pas fonctionné avec Julien... Je n'aurais pas dû t'encourager à foncer.

Moi : Ce n'est pas ta faute, Lou. Et dis-toi que ça m'a permis d'embrasser Koala et de rendre la situation encore plus... délicate et troublante ! Tu sais à quel point j'aime ça me mettre les pieds dans les plats !

On a éclaté de rire toutes les deux.

Moi : Toi, ça va ? Tu n'as pas l'air de filer.

Marilou : Bof. Ma conversation d'hier n'a toujours pas abouti avec Cédric, et j'ai décidé de lâcher prise. S'il tient à moi autant qu'il le dit, alors j'imagine que je dois le croire et que tout ira bien.

Moi : C'est un bon raisonnement... Mais pourquoi fais-tu cette tête ?

Marilou : Parce qu'on part demain matin, et que même si je m'efforce d'être positive, je suis consciente que je ne le verrai plus tous les jours comme ici.

J'ai fait un câlin à Marilou, qui a aussitôt poussé un gros soupir.

Marilou : Veux-tu me dire pourquoi on se met toujours dans ces états-là à cause des gars ? Quand je suis arrivée ici, j'étais déprimée à cause de JP, et là, je me sens triste à cause de Cédric.

Moi : Moi, quand je suis arrivée ici, j'étais triste que ma relation avec Éloi ait échoué et que ça ait affecté notre amitié, alors qu'aujourd'hui, je suis triste parce que j'ai plein d'amis, mais je n'ai pas de chum.

Marilou : On est tellement pathétiques !

Moi : Et compliquées !

Marilou : On devrait juste chasser tous les gars de nos vies !

Moi : Mets-en !

On est restées silencieuses pendant quelques secondes.

Marilou : Veux-tu m'accompagner au lac cet après-midi pour qu'on pense ensemble à une stratégie extraordinaire qui me permettra de mettre les choses au clair avec Cédric ce soir ?

Moi : Bien sûr ! Et je pourrai en profiter pour te parler de mes problèmes avec l'ensemble des gars de la planète, incluant mon frère qui me gosse parce qu'il est trop populaire, et mon père qui me prend pour une enfant.

Marilou : Super ! À tantôt !

Pour des filles indépendantes, disons qu'on a encore du chemin à faire ! ;)

J'espère que tu passes un beau vendredi à Montréal et que ton séjour à Québec t'a fait du bien. J'ai très hâte que tu me racontes tes remises en question de vive voix. J'espère que tout va bien et que ce n'est pas trop grave ! Je rentre à Montréal demain en après-midi. Tu me donneras des nouvelles !

Léa xox

25 juillet 18 h 40

Salut, Léa!
Je dois me sauver, Cédric m'attend dans la
forêt. On voulait passer un peu de temps
seuls tous les deux avant le grand feu de
joie de ce soir.

Il y a quelque chose que je ne t'ai pas dit
ce matin… Je ne suis pas seulement triste
de me séparer de Cédric. Je suis aussi
très triste qu'on doive partir chacune
de notre côté, demain matin. Je me suis
habituée à te voir tous les jours. Je ne
sais pas trop comment survivre encore
sans ma *best*. ☹

Tu vas tellement me manquer! Je t'aime,
Léa! Je te rejoindrai le plus tôt possible
au campement général pour qu'on puisse

profiter ensemble de notre dernière soirée
au Camp Soleil.
Lou xox

P.-S.: Et merci de m'avoir accompagnée ici.
Ça n'aurait jamais été aussi *cool* sans toi.

26 juillet 8 h 45

Coucou, Lou,
Je sais qu'on se dira au revoir dans
quelques minutes, mais je tenais à ce que
tu lises ce message une fois que je serais
partie.

Moi aussi, je trouve ça difficile de me
séparer de toi. En étant ici, c'est un peu
comme si la dernière année ne s'était
pas déroulée et qu'on n'avait jamais été
séparées par la distance. Tu vas vraiment
me manquer, mais je sais qu'on continuera à
être des *best* malgré tout. Après tout, on a
déjà traversé pas mal d'épreuves ensemble !

J'espère que Cédric réalise sa chance d'être
tombé sur une fille aussi géniale que toi, et
que ses paroles, même si elles ne sont pas
claires, se concrétiseront et qu'il te rendra
très heureuse.

Je t'aime, et tu me manques déjà !
Léa xox

📱 **26-07 15 h 14**
....

Léa? Es-tu rentrée à Montréal? J'ai tellement hâte de te voir! Alex est chez moi et on s'apprête à regarder un film. Jeanne xx

📱 **26-07 15 h 15**
....

Oui! Je viens juste d'arriver chez moi! Mais mes parents sont en manque d'affection, alors je ne sais pas si je pourrai m'échapper de la maison aujourd'hui!

📱 **26-07 15 h 17**
....

Bouh! ☹ Au pire, veux-tu qu'on se rejoigne demain matin chez Alex?

📱 **26-07 15 h 17**
....

Bon plan! J'ai hâte de vous voir aussi! xx

À : Marilou33@mail.com
De : Léa_jaime@mail.com
Date : Dimanche 27 juillet, 10 h 52
Objet : Surprise...

Lou !

Tu ne devineras jamais quelle surprise m'attendait à mon retour... Quand je suis arrivée au terminus, mes parents étaient déjà là. Après m'avoir couverte de baisers et de câlins pendant dix minutes (La honte ! En plus, il y avait plein de gars *cutes !*), nous sommes rentrés à la maison où j'ai fait la connaissance de Marie-Pier, la nouvelle blonde de Félix. Je suis obligée d'admettre qu'elle est vraiment belle. En plus, elle ne me parle pas comme si j'étais une enfant attardée, alors pour l'instant, je l'aime bien.

J'ai ensuite reçu un SMS de Jeanne qui me disait qu'Alex était chez elle pour écouter un film. Je lui ai fait croire que je ne pouvais pas me joindre à eux, mais j'ai demandé la permission à ma mère de m'absenter une petite heure avant le souper, pour leur faire une surprise.

La surprise, c'est moi qui l'ai eue. Lorsque je suis arrivée chez Jeanne, son père était devant la maison. Je lui ai demandé de me faire entrer sans prévenir sa fille, car je voulais la surprendre ! Il m'a fait un clin d'œil complice et m'a indiqué que mes amis étaient au sous-sol.

Je suis descendue sur la pointe des pieds... et j'ai aperçu Jeanne en train de *frencher* Alex à pleine bouche. Je pense que pendant quelques fractions de seconde, mon cœur s'est arrêté de battre. J'ai eu un mouvement de recul et j'ai fait craquer une des marches. Alex et Jeanne se sont aussitôt tournés vers moi. Jeanne a écarquillé les yeux et son visage s'est empourpré, tandis qu'Alex s'est reculé dans le sofa, l'air vraiment mal à l'aise.

Moi : Euh !... Oups ! Ha ! Dé... Désolée, je voulais vous faire une... surprise. Je ne pensais pas que j'allais... Ouais, c'est ça. Je pense que je vais y aller.

Jeanne (en se levant et en courant vers moi) : Non, Léa ! Attends ! Je suis vraiment contente de te voir ! Et c'est une super belle surprise... Même si je sais que c'est tout un choc pour toi.

Moi : Ouais, on pourrait dire ça. Je... Depuis... Hum... Quand ? Vous deux ?

Jeanne : C'est arrivé juste avant que je parte pour Québec. On était vraiment juste amis, puis un soir on s'est embrassés, pourtant tu sais que je ne voulais pas de chum. Je ne voulais pas ruiner mon amitié avec Alex, ni mon amitié avec toi. Bref, j'avais besoin de réfléchir. Je ne voulais pas te parler de tout ça par courriel.

Moi : Je comprends maintenant... Alex, c'est pour ça que tu m'as demandé si Jeanne m'avait parlé de toi ?

Alex (en baissant les yeux) : Ouais... Je ne savais pas si tu savais. Je ne voulais pas non plus t'en parler par courriel. En fait, on ne veut pas que ça ruine notre super trio. On attendait juste que tu rentres pour t'en parler.

Je ne savais pas trop quoi dire. Une partie de moi était contente pour eux, mais une autre (la dominante) leur en voulait un peu de m'avoir menti.

Moi : Ben, écoutez, ce n'est pas de mes affaires ce qu'il y a entre vous... De toute façon, je venais juste vous dire allo, mais je dois vraiment y aller. On en reparle demain, OK ?

Je leur ai fait un signe de la main et je suis rapidement sortie de la maison. Jeanne m'a appelée environ deux minutes plus tard pour tout me raconter. Elle s'est excusée encore une fois, et m'a juré qu'elle allait tout me dire dès qu'on allait se voir, mais qu'elle ne voulait pas m'annoncer ça par courriel, surtout qu'elle ne savait pas trop quoi en penser.

Elle m'a demandé si je voulais passer la journée d'aujourd'hui seule avec elle, sans Alex. Je vois qu'elle est sincère. Je ne veux pas non plus être de mauvaise foi et jouer à l'amie jalouse parce qu'ils sont ensemble.

Mais à toi, je peux avouer que ça me fait un pincement au cœur. Non seulement parce que je me sens un peu rejetée de notre trio, mais aussi parce qu'avant de partir au camp, j'ai senti qu'il y avait une petite tension entre Alex et moi. Je ne voulais pas que ça aille plus loin. J'ai insisté sur le fait qu'il ne se passerait rien, mais je croyais sincèrement qu'il s'intéressait un peu à moi. ☹

J'ai quand même accepté de passer la journée avec Jeanne, et je suis d'ailleurs censée la rejoindre dans une heure, alors je dois filer.

Et toi, comment s'est passé ton retour ? Est-ce que tes parents et ton petit frère t'ont comblée d'attention ? Est-ce que tu as eu des nouvelles de Cédric ?

Donne-moi vite de tes nouvelles !
Léa xox

Chapitre 6
Éloi 2.0

À : Léa_jaime@mail.com
De : Marilou33@mail.com
Date : Mardi 29 juillet, 11 h 32
Objet : En attente

Coucou !
Est-ce que tu sais à quel point c'est désagréable de vérifier ma boîte de courriels et mon cellulaire toutes les trois minutes pour vérifier si Cédric m'a donné signe de vie ?

Oui, tu as bien deviné : toujours aucune nouvelle depuis mon retour. J'ai essayé de l'appeler deux fois, mais ça tombe directement sur sa boîte vocale. Je ne voulais pas paraître acharnée, alors je me suis contentée de lui envoyer un texto hier matin disant : « Le retour s'est bien passé ? J'attends de tes nouvelles ! Xx » Mais depuis rien, *nada, nothing*.

J'ai aussi essayé de t'appeler pour me changer les idées et avoir un compte rendu de ta journée avec Jeanne, mais ton frère m'a dit que tu n'étais pas chez toi, et ton cellulaire semble lui aussi fermé. Décidément, je n'ai pas de chance avec les moyens de télécommunication. J'espère connaître plus de succès avec mon courriel !

Hier, je suis allée chez Steph et j'ai passé la journée avec elle et Laurie, qui a mis sur pied un plan pour se venger de William. Comme il l'a relancée à plusieurs reprises depuis leur fameux *french*, elle l'a finalement rappelé pour s'assurer qu'il serait présent au party de Seb, vendredi soir. Son objectif est de lui faire croire qu'elle est vraiment intéressée à le connaître davantage, puis de lui faire comprendre devant tout le monde qu'il n'est qu'une crapule ! J'ai bien hâte de voir ça !

Oui, tu as bien lu ! Même si je risque d'y croiser JP, j'ai décidé d'aller au party de Seb. Après tout, il faut bien que je réintègre peu à peu mon groupe social... (Sans compter que Steph et Laurie m'ont pratiquement tordu le bras pour que je les accompagne au lieu de « faire le légume » à côté du téléphone !)

Il paraît que JP sait que je suis de retour en ville, donc il doit se douter que je serai présente vendredi. La question à quatre millions de dollars : est-ce que je devrais parler avec lui avant le party, ou juste me pointer là-bas et improviser, même si c'est bizarre ?

Deuxième question, à sept millions de dollars, celle-là : admettons que je ne le revoie que vendredi, comment devrais-je m'habiller pour le party ? Oui, j'ai Cédric dans la tête (même s'il m'énerve en ne me répondant pas), mais je suis quand même un peu angoissée à l'idée de revoir mon ex, et je tiens à être très *cute* lorsqu'il me verra pour la première fois depuis des semaines, histoire de le faire souffrir un peu ! Je voudrais un *look* vraiment *cool*, mais un peu négligé, tu vois le genre ?

Je veux que JP se dise : « Wow, elle est tellement belle, et elle ne s'en rend même pas compte ! »

Bref, j'ai besoin de ton aide !

Je ne sais pas si tu es portée disparue à La Ronde ou si les nunuches t'ont kidnappée dès ton retour en ville, mais j'aimerais que tu me donnes des nouvelles le plus rapidement possible, question que je n'alerte pas les autorités !
Lou xox

À : Marilou33@mail.com
De : Léa_jaime@mail.com
Date : Mercredi 30 juillet, 10 h 22
Objet : Pas besoin d'appeler la police !

Je suis saine et sauve, alors pas besoin d'appeler la police ! Désolée de t'avoir délaissée, mais disons que depuis ma rencontre du troisième type avec Alex et Jeanne qui se *frenchaient*, les événements se sont un peu bousculés, et mes amis s'efforcent de m'appeler tout le temps pour me convaincre que rien n'a changé et qu'on peut avoir autant de plaisir qu'avant.

Pas besoin de te dire que ce n'est pas aussi simple. Lundi, j'ai rejoint Jeanne au centre-ville. Au début, c'était un peu tendu, parce que personne n'osait parler de la situation. On a magasiné, puis quand j'ai comparé un vendeur bizarre à Alex, on éclaté de rire, et on a bien été obligées d'en discuter. On s'est assises à la terrasse d'un café avec un granité, puis je suis allée droit au but.

Moi : Tu sais, même si c'est un peu bizarre pour moi de vous voir ensemble, je ne veux pas vous empêcher d'être en couple, ou d'être heureux...
Jeanne : Mais non ! Ne va pas t'imaginer que tu nous empêches d'être ensemble ! C'est sûr qu'on veut éviter que ça crée un malaise avec toi, mais en plus de ça, il fallait que je réfléchisse à ce que je voulais... Ça me mélange un peu. Tu sais à quel point je ne voulais pas de chum. Et Alex est tellement important pour moi que des fois, je trouve ça con qu'on risque de tout ruiner pour une histoire qui ne durera pas.
Moi : Ben, là ! T'es bien pessimiste ! Ça se peut que ça dure, vous deux !
Jeanne : Dans mon cœur, c'est ce que j'essaie de me dire, mais quand je regarde les couples autour de moi, je deviens un peu sceptique. Même mes parents se sont séparés deux fois depuis que je suis petite...
Moi : Oui, mais ils sont revenus ensemble ! Et tu sais quoi ? Même si j'ai vécu deux échecs amoureux en moins d'un an, je refuse de devenir cynique ! Je suis sûre que tôt ou tard je vais rencontrer le bon gars et que je ferai ma vie avec lui.

Jeanne : Ça, c'est parce que tu es romantique, et TRÈS optimiste !

Moi : Peut-être, mais ça sert à quoi d'être pessimiste en amour ? C'est vrai que tu ne sais pas ce qui t'attend, qu'on est encore *full* jeunes et que ça se peut que vous ne passiez pas toute votre vie ensemble, mais je crois qu'en amour, ça vaut la peine d'y aller à fond sans penser au reste. Si tu aimes Alex, alors fonce et arrête de te poser des questions !

Jeanne (en me souriant) : Wow !... Merci pour les paroles d'encouragement. J'avais vraiment besoin d'entendre ça ! C'est fou comme j'avais hâte que tu reviennes !

Moi : Après tout ce que tu as fait pour moi au cours de la dernière année, c'est la moindre des choses que je te donne quelques conseils amoureux !

Jeanne (d'un ton sérieux) : Mais Léa, je veux être certaine que ma... hum !... relation avec Alex ne change rien à notre amitié. Tu sais que tu es *full* importante pour moi. Je suis cent pour cent prête à renoncer à lui comme amoureux pour te garder dans ma vie...

Moi (en l'interrompant) : Ce ne sera pas nécessaire, Jeanne. C'est correct ! Je suis contente pour vous.

Jeanne : Je sais que tu es contente pour nous, mais je sais aussi qu'entre Alex et toi, il s'est déjà passé quelque chose... et je ne veux pas que ça crée de malaise entre nous.

Moi : Je te promets que non. C'est de l'histoire ancienne, tout ça ! Si tu sortais avec Éloi ou Thomas, ce serait peut-être différent, mais là...

Jeanne (en me frappant avec sa serviette de table) : Niaiseuse !

Je n'ai pas insisté sur le fait que non seulement il s'était déjà passé quelque chose entre nous l'hiver dernier, mais qu'en plus, Alex et moi étions passés à deux doigts de nous embrasser avant que je parte au camp, parce que ça lui aurait fait de la peine pour rien. Même si Alex s'est momentanément intéressé à moi, j'ai été très claire avec lui avant mon départ. Je lui ai dit de ne pas se faire d'idées, parce qu'il ne se passerait jamais rien entre nous. Je comprends donc que je n'ai (presque) aucune raison d'être (un peu) jalouse. Argh. J'aimerais ça me sentir comme je prétends l'être. Genre être *full* heureuse pour mes amis, sans ressentir une pointe de jalousie chaque fois que je les imagine ensemble, mais bon, j'imagine que ça va venir avec le temps.

Après notre granité, j'ai raccompagné Jeanne chez elle et on a écouté des films de filles jusqu'à tard ! J'ai couché chez elle. Hier matin, j'ai eu à peine le temps de passer ici et de prendre ma douche avant de repartir avec ma mère pour une journée mère-fille remplie de magasinage, de plats chinois, de manucure et de pédicure ! Eh oui ! Je peux enfin dire que mes pieds sont propres et relativement élégants ! On ne retrouve presque plus de traces de notre randonnée sur mes orteils ! Lol !

C'était vraiment *cool* avec ma mère. Elle avait pris congé exprès pour qu'on passe du temps ensemble, et elle ne m'a pas trop posé de questions sur les « petits garçons qui font battre mon cœur » ! De toute façon, il n'y aurait pas grand-chose à raconter !

On est rentrées vers 19 h et Félix et mon père avaient préparé un barbecue. La blonde de mon frère est venue nous rejoindre, on a joué à la Wii et voilà ! Tu sais maintenant pourquoi je n'ai pas eu le temps de t'écrire !

Alex m'a aussi téléphoné deux fois depuis dimanche, mais je ne l'ai pas encore rappelé. On dirait que ça me stresse. Je sais que je peux mettre mes propres sentiments de côté avec Jeanne et m'efforcer de penser à son bonheur, mais je ne sais pas si je serai capable d'en faire autant avec Alex. Je te tiendrai au courant.

En ce qui concerne tes questions existentielles, je pense que :

1- Tu devrais rappeler Cédric et lui laisser un message pour lui dire clairement que tu attends qu'il te rappelle pour que vous puissiez discuter.

2- Si JP ne cherche pas à te joindre, tu peux attendre à vendredi pour l'affronter.

3- Je vote pour ta robe rayée verte et bleue, avec tes nouvelles sandales noires. Tu vas être trop belle !

J'attends de tes nouvelles !

Léa xox

Jeudi 31 juillet

12 h 11

Alex (en ligne) : Hey ! Tu m'ignores ou quoi ? ;)

12 h 14

Alex (en ligne) : LÉA OLIVIER ?

12 h 15

Léa (en ligne) : Salut ! Désolée, j'étais sous la douche. Ça va ?

12 h 15

Alex (en ligne) : Si on oublie le fait que je t'appelle comme un acharné depuis trois jours sans obtenir de réponse et que j'ai l'impression que tu ne m'aimes plus... Alors oui, ça va...

12 h 16

Léa (en ligne) : Arrête de dramatiser, voyons ! J'étais super occupée et je n'ai pas encore eu l'occasion de te rappeler, mais je suis là, maintenant. Face à mon ordinateur. Je ne peux même pas m'enfuir, alors profites-en ! ;)

Alex (en ligne): Pourquoi ai-je l'impression que c'est bizarre entre nous depuis que t'es rentrée? Est-ce que c'est à cause de Jeanne? Si oui, je comprends. Je m'excuse de ne pas te l'avoir dit. Je pense que je n'ai pas *full* bien géré la situation...

12 h 17

Léa (en ligne): C'est correct. Je sais que ce ne devait pas être évident de me raconter tout ça par courriel.

12 h 18

Alex (en ligne): Ouais! Mais on était proches avant que tu partes, et je ne veux pas gâcher ça.

12 h 18

Léa (en ligne): Je suis sûre que ça va aller. Il faut juste que je m'habitue à te voir amoureux. Moi, je connais juste le Alex célibataire et charmeur, mais je ne connais pas le Alex en couple! Lol!

12 h 19

Alex (en ligne): Tu verras qu'il n'y a pas de grande différence entre les deux!;) Sans blague, ça ne changera rien entre nous, OK? Fais-moi confiance!

12 h 19

Léa (en ligne): Il faudra que je le voie pour le croire!

12 h 19

Alex (en ligne): Justement... Pourquoi on ne fait pas quelque chose tous les trois? Es-tu libre demain?

12 h 20

Léa (en ligne): Non, je commence mes ateliers d'écriture, demain matin. Je serai donc *full* occupée pendant les deux prochaines semaines...

12 h 20

Alex (en ligne): Tu ne vas pas t'en sortir aussi facilement, Léa Olivier! D'ailleurs, je viens de décider que j'organisais un party chez moi, samedi soir! Tu n'auras donc pas le choix de me voir!

12 h 21

Léa (en ligne): Ben, là! Je pourrais boycotter ton party!

12 h 21

Alex (en ligne): Tu ne ferais pas ça, voyons! Tu as bien trop envie de me revoir!;) En plus, dis-toi que ça te donnerait l'occasion de recroiser Éloi et de briser la glace avant la rentrée...

12 h 22

Léa (en ligne): Ne me parle pas de la rentrée ou je t'étripe!

12 h 22

Alex (en ligne): J'arrête à condition que tu me promettes de venir!

12 h 23

Léa (en ligne): OK! OK! Je vais être là!

12 h 23

Alex (en ligne): Réserve aussi ton dimanche!

12 h 24

Léa (en ligne): Euh... pourquoi? C'est un jour de repos, le dimanche!

12 h 25

Alex (en ligne): Parce que tu me dois une journée à La Ronde et que c'est dimanche que ça se passe!

12 h 25

Léa (en ligne): OK, cool. J'en parlerai à Jeanne!

12 h 25

Léa (en ligne): Euh... dans le fond, tu lui en parleras, toi. Tu dois lui parler plus souvent que moi, maintenant...

12 h 26

Alex (en ligne): C'est noté, petit rongeur! Passe une belle journée! Et ne pense pas trop à moi!;)

12 h 26

Léa (en ligne): Je vais faire mon possible!;)

À : Léa_jaime@mail.com
De : Marilou33@mail.com
Date : Jeudi 31 juillet, 21 h 44
Objet : Enfin !
1 pièce jointe : Courriel Cédric

Coucou !
Au moment où je m'apprêtais à baisser les bras et à m'avouer vaincue, c'est-à-dire que je ne croyais plus avoir de ses nouvelles, voici qu'enfin je reçois un signe de vie de la part de Cédric ! Non, il n'a pas répondu à mon texto, et non, il ne m'a pas appelée, mais au moins il a daigné m'envoyer un courriel. Je devrais être fâchée, mais juste le fait de voir son nom à l'écran me donne envie de chanter et de sauter partout.

La seule affaire, c'est que je ne sais pas trop comment interpréter son courriel. Penses-tu qu'il est *vraiment* content d'avoir de mes nouvelles, ou qu'il dit plus ça, genre, pour être poli ? Qu'est-ce que je devrais répondre ? Est-ce que c'est à moi de proposer quelque chose ? Peux-tu me dire pourquoi je me sens si anxieuse avec lui ? Je me sens aussi nouille que l'été dernier, alors qu'il y a moins d'une semaine, j'étais dans ses bras. ☹

Je te laisse lire le courriel et juger par toi-même. Donne-moi des conseils, OK ? Je veux lui répondre avant le party de demain soir, question de me sentir

sûre de moi et au sommet de ma forme quand je vais
revoir JP !
Lou xox

P.-S. : Je vais mettre ma robe avec mes sandales !
Bonne idée !
P.P.-S. : J'ai eu ton message vocal, et je pense que
c'est une bonne idée que tu ailles au party d'Alex.
Non seulement tu croiseras Éloi, mais ça te permettra
aussi de revoir Jeanne et Alex ensemble et ça t'aidera
à accepter la situation. En passant, je te comprends de
ressentir une pointe de jalousie. Même si tu avais été
claire avec Alex et qu'effectivement il pouvait bien faire
ce qu'il voulait, ça n'empêche pas que vous étiez très
« proches » tous les deux (pour ne pas dire « louches »)
avant ton départ, et c'est quand même un choc pour toi
de savoir qu'il sort maintenant avec l'une de tes bonnes
amies. Personnellement, j'avais l'impression qu'il se
passerait quelque chose entre vous, alors ça m'étonne
aussi d'apprendre qu'il sorte avec Jeanne. T'as même
le droit d'être déçue, Léa ! Je ne le dirai à personne ! ;)

Pièce jointe :

Salut, ma belle Marilou !
Je suis désolé d'avoir mis autant de temps à te répondre...
Le retour était un peu intense pour moi : les amis qui
veulent me voir, ma petite sœur qui me demande de
l'attention, moi qui dois passer autant de temps avec ma

mère qu'avec mon père pour ne pas faire de jaloux, le travail qui recommence, les partys qui s'accumulent... tu vois le genre !

Mais ça ne veut pas dire que je ne pense pas à toi, et que tu ne me manques pas ! Quand je repense à nos petits moments d'intimité dans la forêt, disons que... Hum ! Hum ! Je deviens fou ! Ça m'a aussi fait du bien d'entendre ta voix sur mon répondeur. ☺

J'espère que ton retour se passe bien, et que tu ne t'ennuies pas trop de ta cabane dans les bois et de ton travail dans la cuisine du camp !

Moi, en tout cas, je m'ennuie de toi ! J'espère te voir très, très bientôt...
Cédric xx

À : Marilou33@mail.com
De : Léa_jaime@mail.com
Date : Vendredi 1er août, 13 h 32
Objet : Ça promet !

Salut, Lou !
Je viens de lire ton courriel et celui de Cédric, et j'avoue que c'est frustrant. Je sais que ce n'est sûrement pas ce que tu voulais entendre, mais il faut bien que ta *best* soit honnête avec toi et pense à ton bonheur, non ?

C'est ben *cute* qu'il s'ennuie de toi, mais tu mérites plus que des mots, Lou!

Tu as essayé de lui tirer les vers du nez pendant une semaine pour définir un plan d'après-camp, mais il est resté *full* nébuleux en te répétant de ne pas t'en faire, et que tout irait bien. Résultat : tu n'as pas de nouvelles pendant cinq jours et il finit par t'écrire quelque chose de pas très clair, sans préciser ce qu'il veut et sans t'offrir de faire quelque chose avec lui.

Je suis désolée d'être aussi honnête, mais je suis sûre que tu ferais la même chose à ma place! :) Ce que je suggère, c'est que tu lui dises clairement ce que tu veux. De toute façon, la Marilou que je connais ne se laisserait pas intimider par qui que ce soit, et encore moins par un gars! Bref, tu lui réponds : «Est-ce qu'on peut se voir bientôt? J'aimerais qu'on parle.» En plus, ça le poussera sûrement à s'imaginer tout plein de scénarios et à être moins indépendant! Je suis machiavélique quand je le veux, non? Lol!

De mon côté, je viens juste de revenir de mon premier atelier d'écriture, et je suis *full* rassurée, car ça semble vraiment *cool*. J'avais peur de tomber encore une fois sur un groupe de filles qui font des manières et qui rient de moi, mais comme c'est un atelier d'été et que les gens qui s'inscrivent sont réellement passionnés par l'écriture, tout le monde est gentil et ouvert d'esprit!

Ce n'est pas facile, par exemple ! Ce matin, la prof nous a donné quelques trucs de base pour écrire avec notre cœur (genre, écrire des trucs en s'inspirant d'événements qu'on a vécus ou d'émotions qu'on connaît bien). Ensuite, elle nous a demandé d'écrire un petit texte de deux cents mots en nous basant sur ces principes et de le lire devant le groupe ! Elle dit qu'il faut apprendre à assumer nos créations et les textes qui viennent de notre cœur.

J'ai donc décidé d'écrire sur le déracinement et le sentiment de solitude, parce que c'est un peu ce que j'ai vécu au cours de la dernière année. La prof m'a félicitée, et ça semblait sincère (yé) ! Ensuite, il y a un gars du groupe (Que j'ai remarqué dès qu'il est entré dans la salle de classe, parce qu'il a les cheveux noirs et les yeux bleus, et tu sais que c'est un mélange qui me fait craquer... Sans compter qu'il est excessivement *cute* – genre plus que Julien le ténébreux !) qui m'a vraiment émue en lisant son texte. Ça parlait visiblement d'une fille qui lui avait brisé le cœur. Je ne sais pas quel genre d'épaisse oserait casser avec un gars aussi beau que lui, mais je suis prête à le consoler quand il veut ! Lol !

En tout cas, son texte était tellement touchant et réaliste que j'ai senti les larmes me piquer les yeux. C'est con, mais ça m'a fait penser à Thomas. On s'entend que quand je pense à «passion» et «déchirement», c'est encore son nom qui me vient à l'esprit... Quand il a eu fini de parler, la prof s'est tournée vers moi.

La prof : Léa, j'ai remarqué que tu semblais très émue par son texte... Est-ce que tu voudrais commenter ?
Moi (rouge comme une tomate) : Euh... Non, pas vraiment. J'ai juste trouvé ça beau. Et très réaliste.
La prof : On dirait que ça a fait ressurgir beaucoup d'émotions en toi.
Moi : Oui. Ça me replonge dans certains événements du passé.
La prof : C'est parfait ! C'était exactement le but de l'exercice, de vous faire vivre des émotions, et c'est là-dessus qu'on s'orientera la semaine prochaine...

J'ai jeté un coup d'œil vers le (beau) gars qui venait de m'émouvoir pendant que la prof parlait, et nos regards se sont croisés. Il m'a même souri ! J'avoue que l'atelier devient tout à coup encore plus intéressant ! ;) J'étais en train de me demander quel était son nom quand la prof a répondu sans le savoir à ma question.

La prof : Bon travail, Adam. J'ai l'impression que tu n'as pas fini de nous impressionner !

L'atelier s'est terminé quelques minutes plus tard. Je m'apprêtais à m'asseoir dans la voiture aux côtés de Félix qui était venu me chercher quand Adam est passé près de moi.

Adam : À lundi, Léa. Bonne fin de semaine !

OH MY GOD ! Adam m'a parlé. Adam connaît mon nom. Adam m'a souhaité de passer une bonne fin de semaine. Ça met beaucoup d'action dans ma vie !

Ce soir, je suis censée accompagner mes parents au cinéma. Ils ont exigé du « temps avec leur fille qui vieillit trop vite ». Soupir. J'avoue que j'aurais préféré rester ici et regarder des films en pyjama, mais ma mère m'a fait comprendre que mon père avait envie de me voir un peu, et que ça lui ferait vraiment plaisir qu'on fasse une activité à l'extérieur de la maison. J'ai éprouvé un moment de tendresse pour lui et je suis allée lui faire un câlin.

Mon père : Qu'est-ce qui me vaut l'honneur ?
Moi : Maman m'a dit que tu voulais passer du temps avec moi. Je trouve ça *cute*.
Mon père (un peu mal à l'aise) : Ouais... Eh bien, on ne t'a presque pas vue de l'été, et j'ai envie de profiter de ma grande fille avant que tu te refasses un petit chum et que tu oublies ton vieux père.
Moi : Ben non, papa. Tu sais bien que je ne pourrais pas t'oublier. Tu es bien trop casse-pieds pour ça !
Mon père (en souriant) : Je vais prendre ça comme un compliment. Il y a un nouveau film allemand sous-titré qui passe au cinéma du coin. Ça a l'air bon.
Moi (en grimaçant) : Ouach ! Tellement pas !

Puis après avoir négocié pendant plus de quinze minutes, j'ai réussi à les convaincre d'aller jusqu'au centre-ville pour voir *Les Avengers* ! Yé !

Et toi ? Es-tu nerveuse à propos de ce soir ? Décidément, c'est une grosse fin de semaine pour nous deux, on s'apprête chacune à revoir nos ex ! J'espère que tout ira bien.

Tu me donneras des nouvelles. Je t'envoie plein d'ondes positives pour le party de ce soir. Avec ta robe, je sais que tu feras tourner toutes les têtes (dont celle de JP, qui va se dire : «Eh, merde ! Pourquoi est-ce que je l'ai laissée filer ? C'est la fille la plus extraordinaire au monde ! »).

Gros bisous !
Léa

À : Léa_jaime@mail.com
De : Thomasrapa@mail.com
Date : Samedi 2 août, 01 h 32
Objet : La fin du mois de juillet

Salut, toi !
Je sais que c'est bizarre que je t'écrive, mais ce soir, il y avait un party chez Seb, et je me suis rappelé qu'à pareille date l'année dernière, tu y étais avec moi. Tu

te souviens, on s'était dit qu'on célébrait la fin du mois de juillet ? (Et aussi la fin de la chicane qu'on avait eue ce jour-là pour une raison que j'ai oubliée.)

En tout cas, ça m'a fait penser à toi. Et en plus, j'ai vu Marilou, qui racontait à quel point vous vous étiez amusées au camp (Elle ne me racontait pas ça à moi directement, car elle fait encore tout pour m'éviter, mais disons qu'en entendant ton nom, j'ai tendu l'oreille !) et j'ai eu envie de t'écrire pour te dire que je pense à toi, et que j'espère que tu vas bien.

Je réalise maintenant qu'on ne peut pas vraiment être de vrais « amis », mais je pense qu'on peut tout de même s'écrire et se donner des nouvelles de temps à autre... ;)

Je t'embrasse,
Thomas

À : Léa_jaime@mail.com
De : Samuelothon@mail.ca
Date : Samedi 2 août, 11 h 58
Objet : Une semaine loin d'Écureuil Rôti !

Salut, Léa !
J'espère que tu vas bien et que le retour à la réalité se passe bien !

Moi, ça va, mais je me suis surpris cette semaine à m'ennuyer des fous rires autour du feu, des balades près du lac et des confidences échangées avec toi. ☺

Grâce à Facebook, je suis resté en contact avec plusieurs campeurs et moniteurs du camp, mais c'est bizarre de consulter leurs profils et de voir des photos d'eux dans la vraie vie, avec leurs vrais noms !

Bref, au lieu d'aller espionner ton profil pour savoir comment tu vas, je préférais t'écrire directement pour te saluer et prendre de tes nouvelles. J'espère que ce qui s'est passé entre nous avant notre départ ne t'empêchera pas de m'écrire !
Samuel xx

📱 02-08 17 h 14

Lou? C'est vraiment bizarre! Non seulement je m'apprête à revoir Éloi, mais j'ai reçu un courriel de Thomas ET de Samuel!

📱 02-08 17 h 16

Wow! Tes oreilles doivent bourdonner! Moi aussi je passe une drôle de journée... J'ai finalement fait ce que tu m'as recommandé pour Cédric. Et tu avais raison! Il m'a donné rendez-vous dans un café demain, à 14 h. Je suis *full* nerveuse!

📱 02-08 17 h 17

Oh! Je comprends. Mais au moins, tu en auras le cœur net et tu verras si ça clique aussi à l'extérieur du camp! Et ta soirée d'hier, avec JP?

📱 02-08 17 h 19

Bizarre. Mon cœur a fait un bond quand je l'ai vu. On ne s'est pratiquement pas dit un mot (à part un « salut » forcé)... C'est comme si on était gênés d'être ensemble. Après tout ce qu'on a traversé, c'est bizarre.

📱 02-08 17 h 22

Je comprends, je suis passée par là avec Thomas. C'est encore un peu comme ça, d'ailleurs.

📱 02-08 17 h 23

Et qu'est-ce qu'il te veut, encore, lui ? Je l'ai pourtant surpris en train de *frencher* Sarah Beaupré, hier soir ! Il pourrait te laisser tranquille !

📱 02-08 17 h 24

Je pense qu'il se sentait juste un peu nostalgique... On avait passé une drôle de journée au party de Seb, il y a un an... Et Laurie ? Est-ce qu'elle a réussi à humilier William ?

📱 02-08 17 h 25

Plus ou moins, parce que William s'est finalement pointé trois minutes avant qu'elle doive partir. ☹

📱 02-08 17 h 25

C'est ben poche ! Est-ce qu'elle lui a fait sentir qu'elle le méprisait ?

📱 02-08 17 h 26

Disons que William était bien protégé par Sarah et ses nunuches... Mais il ne perd rien pour attendre.

📱 02-08 17 h 26

J'espère qu'elle arrivera à se venger! Les gars malhonnêtes méritent tous d'être humiliés publiquement!;)

📱 02-08 17 h 26

Et toi? Nerveuse pour ce soir?

📱 02-08 17 h 27

Oui. Nerveuse de revoir Éloi. J'espère que ce ne sera pas trop bizarre. Je suis en train de choisir ma tenue. Tu votes pour quoi?

📱 02-08 17 h 28

Ta robe rose de chez Forever 21! Tu sais que c'est ma préférée!

📱 02-08 17 h 30

OK. Je te laisse! Je vais me préparer. Mais je te promets de te raconter tous les détails demain! Xx

📱 02-08 17 h 31

Super! Amuse-toi! xx

À : Marilou33@mail.com
De : Léa_jaime@mail.com
Date : Dimanche 3 août, 9 h 57
Objet : Éloi 2.0

Coucou !
J'espère que tu as bien dormi malgré ta nervosité !
Il va falloir que tu me racontes tout ! Et si jamais tu
capotes pendant votre rendez-vous, tu peux m'envoyer
un SMS !

Moi, ça va plutôt bien. Le party était plus le *fun* que je
l'appréhendais, mais je dois avouer que c'est vraiment
bizarre de voir Alex et Jeanne se coller. D'ailleurs, tu
n'es pas la seule à penser qu'on allait finir ensemble,
parce que Katherine m'a dit la même chose ! On était
assises sur le sofa et on discutait de son Mike (en gros,
ils s'écrivent trente courriels par jour et ils « s'aiment
tellement que ça fait mal »), quand Alex et Jeanne
ont commencé à danser un slow devant nous. Ils ont
échangé un baiser, et ça m'a fait un petit pincement au
cœur. J'ai détourné les yeux. Je pense que Katherine
a senti mon malaise.

Katherine (en les regardant) : Ça doit faire bizarre,
non ?
Moi (d'un air faussement innocent) : Hein ? De quoi tu
parles ?

242

Katherine (en me regardant) : *Come on*, Léa ! Tu sais très bien de quoi je parle ! (En pointant mes amis du menton) Ça doit être bizarre de les voir ensemble !

Moi : Mouais... Un peu. Mais c'est correct. Je vais m'habituer. Ils ont le droit d'être heureux, tu sais.

Katherine (en fronçant les sourcils) : Je sais bien, mais c'est quand même bizarre de le voir embrasser Jeanne au lieu de toi.

Moi : Hein ? Pourquoi tu dis ça ?

Katherine : Parce que j'étais certaine que vous alliez sortir ensemble. Ça paraissait tellement qu'il y avait un petit quelque chose entre vous deux. Je suis vraiment étonnée qu'il sorte avec elle plutôt qu'avec toi.

Moi : Ouais... mais j'aime mieux ça comme ça. Je ne voulais pas risquer mon amitié avec Alex en sortant avec lui. C'est ce que j'ai fait avec Éloi, et regarde ce que ça a donné.

Katherine : Tiens, en parlant du loup...

Je me suis retournée et j'ai vu Éloi qui arrivait avec José, Sophie et Lydia.

Moi : Depuis quand il est ami avec elles ? Moi qui espérais ne pas avoir à me taper les nunuches avant la rentrée...

Katherine : Ne t'en fais pas ! Maude ne vient pas ce soir. Pour ce qui est de Sophie et Lydia, j'ai plutôt tendance à croire que c'est José qu'elles suivent partout...

Éloi a tourné la tête vers moi, et j'ai vu son visage s'illuminer. Il avait l'air différent. Non seulement il s'était fait couper les cheveux et il était bronzé, mais en plus, il dégageait une sorte de légèreté et de joie de vivre qu'il avait perdue au cours des derniers mois... Peut-être à cause de notre relation. Il s'est approché de moi dès qu'il m'a vue.

Éloi (en souriant et en me serrant dans ses bras) : Tiens, une revenante ! J'ai hâte que tu me racontes comment t'as survécu dans les bois !
Moi (en souriant aussi) : Salut, toi ! Comment ça, survivre ? Tu sauras qu'au fond de moi se cache une vraie aventurière... Une amoureuse de la nature.
Éloi (en haussant un sourcil) : Vraiment ? Parce que la Léa que j'ai connue ne tripait pas vraiment sur les randonnées pédestres.
Moi : Ouin... t'as peut-être raison.

Il s'est assis près de moi et Katherine s'est levée discrètement pour nous laisser seuls.

Éloi : Alors, la petite, quoi de neuf ?
Moi : Pas grand-chose. J'ai effectivement survécu à mon séjour avec les moustiques, et j'ai commencé mes ateliers d'écriture. Ça va être intense pendant les deux prochaines semaines, mais je pense que je vais triper ! Et toi ?

Éloi : Bof !, pas grand-chose non plus. Je m'occupe comme je peux, mais je pars dans quatre jours dans le coin de Mont-Tremblant avec le reste de ma famille et je ne reviens que pour la rentrée. Ça va faire du bien de respirer le grand air...

Moi : Ah oui, c'est vrai ! Tu pars ! Jeanne m'avait dit ça...

Éloi (avec un sourire en coin) : Ah oui ? Ça veut donc dire que tu t'es renseignée sur moi ?

Moi (en souriant) : Évidemment, Éloi. Ce n'est pas parce qu'on ne se parle plus que je ne pense pas à toi.

Éloi (en souriant aussi) : Même chose pour moi. Ça fait du bien de te revoir... Tu sais, j'espère vraiment qu'on pourra redevenir des amis... éventuellement.

Moi : Moi aussi.

Il m'a souri, et il s'est levé pour rejoindre ses amis. Avant de s'éloigner, il s'est penché vers moi pour me souffler quelque chose à l'oreille.

Éloi : Je sais que je ne devrais pas te dire ça... Mais je te trouve vraiment belle ce soir. Il faut croire que la vie dans la nature te va bien !

Il s'est relevé et m'a fait un clin d'œil. J'ai rougi et je me suis détournée pour saluer Alexis qui venait d'arriver. De toute façon, je ne sais pas trop ce que j'aurais pu répondre à ça. Même si c'était un peu bizarre de se parler après autant de semaines, ça m'a vraiment fait du bien de le voir. J'avais oublié à quel point il était mature, et ça me rassure vraiment pour l'avenir.

J'espère qu'entre JP et toi les choses pourront aussi devenir plus cordiales avec le temps. Qui sait ? Peut-être qu'après ton rendez-vous galant avec Cédric, tu te sentiras plus en confiance et que ça t'aidera à te détendre avec lui !

Je dois filer, car je dois rejoindre Jeanne et Alex pour aller à La Ronde. J'avoue que ça me tente moyen de me sentir comme la troisième roue de la bicyclette pendant toute la journée, mais je me dis qu'avant de juger, il vaut mieux faire acte de bonne foi et passer du temps avec mes amis. Je verrai bien si le trio d'enfer existe encore, ou s'il vaut mieux que j'aille me magasiner de nouveaux acolytes au dépanneur !

Donne-moi des nouvelles dès que tu rentres de ton rendez-vous avec Cédric. Je veux TOUS les détails !
Léa xox

Lundi 4 août

Marilou (en ligne): LÉA! Pourquoi tu ne réponds pas au téléphone?! Il faut vraiment que je te raconte ma rencontre avec Cédric. Il est tellement beau! Encore plus que dans mes souvenirs!!

14 h 18

Léa (en ligne): Excuse-moi! J'étais à mon atelier d'écriture ce matin! J'en conclus donc que ça s'est bien passé?

14 h 18

Marilou (en ligne): Mets-en: on a passé deux heures à s'embrasser! ☺ Le problème, c'est que je ne sais toujours pas où ça s'en va. J'ai voulu lui demander, mais sa réponse n'était pas très claire...

14 h 19

Léa (en ligne): LOU! Tu étais censée le voir pour clarifier les choses! Pas pour passer deux heures à explorer sa bouche!;)

14 h 19

Marilou (en ligne): JE SAIS! Je ne suis pas fière de moi, mais il est tellement *cute* que j'ai de la misère à résister à son charme.

14 h 19

Léa (en ligne): Est-ce que tu as au moins établi si tu le revoyais bientôt?

14 h 21

Marilou (en ligne): Oui! Tu seras heureuse d'apprendre que, même si je n'ai pas obtenu de réponse sur notre statut officiel, j'ai réussi à lui faire promettre qu'on se reverrait vendredi soir! Il a même accepté de venir chez moi! ☺

14 h 22

Léa (en ligne): Cool! C'est un petit pas pour l'homme, mais un immense pas pour Marilou et Cédric!;)

14 h 22

Marilou (en ligne): Et toi, La Ronde? Pas trop éprouvant?

Léa (en ligne): Oui et non. Je te confirme que je n'aime pas les trucs qui tournent. J'ai eu mal au cœur presque toute la journée et je n'ai pas pu faire la moitié des manèges parce que j'étais sûre que j'allais vomir. Et disons que même si Alex est maintenant inaccessible, ce n'est pas une raison pour lui vomir dessus! Lol!

Marilou (en ligne): En effet! Et ils ne se sont pas trop collés?

Léa (en ligne): Au début, vraiment beaucoup! Genre qu'ils se tenaient par la main (même dans les petites voitures individuelles en étirant leurs bras) et se donnaient des bisous toutes les trois secondes. J'ai un peu perdu patience quand Alex s'est mis à nourrir Jeanne avec de la barbe à papa...

Marilou (en ligne): Ouach! Je te comprends! Même dans mes moments les plus quétaines avec JP on ne s'est pas rendus jusque-là! Tu devais tellement être au bord du désespoir!

14 h 28

Léa (en ligne): Oui! Je n'ai pas pu m'empêcher de lever les yeux au ciel quand ils se sont mis à glousser amoureusement comme des poules.

14 h 28

Marilou (en ligne): HA! HA! HA! HA! Est-ce qu'ils t'ont vue?

14 h 30

Léa (en ligne): Oui! Et j'en suis contente, parce que ça m'a permis de mettre les choses au clair avec Jeanne. Quand elle a vu mon air, elle a lâché la main d'Alex et elle m'a demandé si tout allait bien. Je lui ai fait comprendre que non, alors elle m'a proposé de faire un tour dans la grande roue pour qu'on puisse se parler toutes les deux. Je lui ai expliqué que même si je ne demandais pas mieux qu'ils soient heureux et qu'ils se sentent à l'aise en ma présence, ça ne voulait pas dire que j'avais envie de me sentir de trop, ni d'assister à toutes leurs marques d'affection...

14 h 31

Marilou (en ligne): Tu as bien fait! Et qu'est-ce qu'elle t'a répondu?

Léa (en ligne): Elle avait l'air sincèrement désolée. Elle s'est excusée. Elle m'a expliqué qu'elle n'avait aucune expérience dans le domaine et qu'elle ne savait pas trop comment gérer la situation. D'un côté, elle ne voulait pas que je me sente rejet, mais de l'autre, elle ne voulait pas être trop froide avec Alex. Elle m'a fait comprendre que des fois, elle avait encore la fâcheuse habitude de le traiter comme s'il n'était qu'un ami, et qu'elle faisait des efforts pour lui prouver que non...

Marilou (en ligne): Ça ressemble beaucoup à ton histoire avec Éloi, je trouve!

Léa (en ligne): Je sais... Mais c'est le risque à prendre quand on sort avec un bon ami. En tout cas, je lui ai dit que, même si je les aimais beaucoup tous les deux, c'était peut-être préférable qu'on fasse des activités de filles pendant un certain temps. Question que je m'habitue à la situation et qu'ils sortent de leur «lune de miel»...

14 h 34

Marilou (en ligne): Ce n'est pas fou! De toute façon, même si tu considères Alex comme un bon ami, je m'entête à dire que ç'a toujours été un peu louche entre vous, et que c'est peut-être préférable que tu prennes tes distances pendant un certain temps.

14 h 35

Léa (en ligne): Tu as peut-être raison. ☹ C'est dommage, parce que j'aurais aimé me rapprocher de lui autant que d'Éloi...

14 h 35

Marilou (en ligne): Je sais, Léa, mais je pense que c'est impossible. Premièrement, vous avez toujours été attirés l'un par l'autre, et deuxièmement, il sort maintenant avec ta meilleure amie de Montréal. Ce n'est pas évident...

Léa (en ligne): Ouais, je sais. Mais la bonne nouvelle, c'est qu'après avoir discuté avec Jeanne, les choses se sont arrangées. Elle s'est même organisée pour que je m'assoie entre eux deux dans les manèges qu'on faisait à trois, et ç'a détendu l'atmosphère. En fait, ça ressemblait un peu plus à la dynamique de notre ancien trio! Mais disons qu'en résumé, ce n'est pas exactement le genre de journée que je m'imaginais passer quand Alex m'a offert des billets pour La Ronde...

14 h 36

Marilou (en ligne): Bien sûr que non, puisque tu souhaitais secrètement vivre un moment passionné dans le Monstre!;)

14 h 37

Léa (en ligne): Quand même pas! Je sortais avec Éloi, à cette époque-là!

14 h 37

Marilou (en ligne): Ouais, mais tu étais quand même attirée par Alex! N'essaie même pas de le nier, Léa! Je te connais par cœur!;)

14 h 37

Léa (en ligne): Bon, bon... Peut-être un peu.;) Mais tout ça n'a plus d'importance maintenant, parce que je sais que ça n'aboutira pas. Je ne pourrais JAMAIS faire ça à Jeanne. Je préfère mettre une croix définitive sur Alex. Je ne suis pas amoureuse de lui, quand même! J'éprouvais de l'attirance pour lui, mais maintenant qu'il est avec Jeanne, il faut que je passe à autre chose.

14 h 38

Marilou (en ligne): Je sais... Mais entre toi et moi, est-ce que tu regrettes de ne pas l'avoir embrassé avant de partir au camp?

14 h 38

Léa (en ligne): Entre toi et moi? Un peu (beaucoup). Mais je me sens mal chaque fois que j'y pense. Jeanne est mon amie, et c'est plus important que le reste! Et puis, je me dis qu'il n'y a rien qui arrive pour rien. Je n'étais pas due pour sortir avec Alex, et ça veut sûrement dire qu'un gars encore plus merveilleux m'attend quelque part! Qui sait, c'est peut-être Adam?!

14 h 29

Marilou (en ligne): Ah oui, c'est vrai! J'avais oublié le bel Adam! Parlant de ça, comment s'est passé ton atelier? Toujours aussi le *fun*?

14 h 30

Léa (en ligne): Mets-en! Et comble du bonheur, la prof nous a demandé de composer un texte pour vendredi et de le travailler d'abord avec quelqu'un de la classe. C'est elle qui a formé les équipes et elle m'a mise avec Adam! Demain, je suis censée passer la matinée à échanger des idées avec lui! J'ai hâte!

14 h 31

Marilou (en ligne): OH! J'espère que tu auras des détails croustillants à me transmettre! J'y vais, moi. Je dois garder mon petit frère. Il est en train de devenir insupportable parce qu'il manque d'attention! On s'écrit plus tard! JTM!

📱 07-08 11 h 14

Hey, la sœur! Je ne pourrai pas venir te chercher à ton atelier. Je dois me rendre au travail... Peux-tu t'arranger avec ton nouveau chum?

📱 07-08 11 h 15

Tu dis n'importe quoi, Félix Olivier! Je n'ai pas de chum!

📱 07-08 11 h 16

OK, d'abord: peux-tu demander au gars qui t'a fait rougir comme une tomate vendredi passé de te raccompagner à la maison?

📱 07-08 11 h 18

Ben, là! Pas question! Ça fait bien trop têteux. Je vais prendre le métro à la place.

📱 07-08 11 h 19

Tu sais, Léa, si tu ne fais rien, il ne se passera rien. C'est ton grand frère qui pogne qui te le dit.

📱 07-08 11 h 21

T'es tellement modeste, Félix. Bon, je te laisse. La prof me regarde bizarre, et je ne veux pas avoir l'air niaiseuse dans mon atelier.

📱 07-08 11 h 21

C'est vrai que si le beau gars de ton cours te voit en train de texter, il va sans doute penser que tu es une cruche !

📱 07-08 11 h 22

Tu m'énerves ! *BYE !*

📱 07-08 12 h 52

Marilou ? Tu ne devineras jamais : je suis dans la voiture d'Adam !

📱 07-08 12 h 53

Hein ? Comment ça ?

📱 07-08 12 h 53

Félix ne pouvait pas venir me chercher, alors j'ai foncé et j'ai demandé à Adam si ça le dérangeait de me déposer au métro, et il a offert de me raccompagner chez moi ! ❤

📱 07-08 12 h 54

Il me semble que ça ne te ressemble pas d'être aussi courageuse ! ;)

📱 07-08 12 h 55

Je sais ! La vérité, c'est que c'est Félix qui m'a suggéré de foncer. Même s'il m'énerve, force est d'admettre qu'il a le tour avec les filles, et que ça vaut sûrement le coup de suivre ses conseils...

📱 07-08 12 h 55

C'est vrai !

📱 07-08 12 h 55

Adam revient ! Je t'écris plus tard pour tout te raconter !

À : Marilou33@mail.com
De : Léa_jaime@mail.com
Date : Jeudi 7 août, 16 h 44
Objet : Bref résumé de mes « talents » de charmeuse

Bon, es-tu prête à t'étouffer dans tes rires ? Je dois vite terminer mon texte pour l'atelier de demain, mais je voulais quand même te raconter brièvement comment se sont déroulées mes dix minutes de « gloire » avec Adam.

Il m'a d'abord demandé où j'habitais, et quand il a réalisé qu'il vivait près de chez moi, il m'a offert de me conduire à la maison. J'étais vraiment contente !

Il s'est arrêté à la station d'essence du coin, et c'est de là que je t'ai envoyé un SMS. Ensuite, les choses ont pris une tournure... plutôt absurde.

Moi (nerveuse) : En passant, j'ai vraiment aimé ton texte de la semaine dernière. C'était vraiment... touchant.
Lui : Merci.
Moi : As-tu écrit ça en pensant à quelqu'un ?
Lui : Oui.
Moi (en commençant à capoter parce qu'il faisait juste répondre par des monosyllabes) : Et... Euh... Ça fait longtemps que t'écris ?
Lui : Pas vraiment, mais j'aime ça.

Moment de silence gênant.

Moi (en bafouillant) : C'est beau la... couleur... là, de ta voiture.

Lui : Merci, mais elle est vieille. Je ne l'ai pas choisie.

Moi : Raison de plus pour te dire que t'es chanceux. Tu sais... tu aurais pu tomber, genre, sur une voiture brun caca, ou genre, rose.

Lui (en souriant un peu) : Je ne pense pas que ça existe, les voitures roses.

Moi : Ah, OK. Je ne connais pas grand-chose aux voitures...

Autre moment de silence gênant.

Moi (en bafouillant encore) : Et... euh... On connaît un bel été, hein ? Il fait beau, genre, tout le temps !

Lui : Oui.

Moi : Il paraît que c'est à cause des changements climatiques. Je sais que c'est dangereux pour l'avenir de la planète, mais je ne peux pas dire que je m'en plains tout le temps. Tu sais, au Québec, c'est le *fun* que le climat se réchauffe un peu ! Mais en même temps, c'est plate, parce qu'on ne peut pas vraiment en profiter pendant les ateliers.

Lui (en se concentrant pour changer de voie) : Hum, hum !

Moi : Peut-être que la prof pourrait organiser des ateliers à l'extérieur ! Ce serait plus motivant !

Lui : C'est vrai.

Troisième moment de silence gênant qui a duré jusque devant chez moi.

Moi : Ben... Merci, Adam ! C'est gentil de m'avoir raccompagnée !
Lui (en souriant et en me faisant oublier que je venais de passer l'un des moments les plus misérables de ma vie) : De rien ! À demain, Léa.

Je sais, c'est la honte. Mais j'adore la façon dont il prononce mon nom... même si je me sens comme une poule pas de tête quand je suis avec lui, je le trouve beauuuuu !

Bon, il faut que je continue de travailler mon texte si je veux tenter de l'impressionner avec mes talents d'auteure tourmentée !
Léa xox

À : Samuelothon@mail.ca
De : Léa_jaime@mail.com
Date : Jeudi 7 août, 18 h 09
Objet : Re : Une semaine loin d'Écureuil Rôti !

Salut, Koala !
Désolée, je ne suis toujours pas capable de t'appeler Samuel ! Dans ma tête, tu resteras toujours le Koala avec qui j'ai partagé tant de moments intenses au Camp Soleil !

Ne t'en fais pas pour ce qui s'est passé. C'est derrière nous. Il n'y a aucune raison pour ne pas se donner de nouvelles ! Moi, ça va ! J'ai commencé des ateliers d'écriture et je tripe vraiment ! Ça se termine déjà la semaine prochaine, alors j'essaie de m'y mettre à fond ! En plus, ça m'évite de me sentir triste parce que je suis loin de Marilou, qui est retournée chez elle. C'était *cool* de pouvoir être auprès d'elle pendant quatre longues semaines !

J'avoue que je n'ai pas vraiment gardé contact avec les autres moniteurs et campeurs. As-tu de bons potins pour moi ?

Comme on habite relativement proche, ce serait *cool* un jour de se donner rendez-vous dans la métropole pour prendre un café ! (Ne me demande pas de me rendre jusqu'à Blainville, je n'y arriverais jamais ! J'ai encore de la misère à me retrouver dans mon quartier ! Lol !)

J'espère avoir de tes nouvelles bientôt ! Les fous rires dans la tente et nos promenades dans les bois avec les bibittes me manquent aussi !
Léa
xox

À : Thomasrapa@mail.com
De : Léa_jaime@mail.com
Date : Jeudi 7 août, 19 h 32
Objet : Le début du mois d'août

Coucou !
Ouais... c'est fou de penser que le mois d'août est commencé, et que ça fait presque un an que j'habite à Montréal. Je n'en reviens pas. D'un côté, je sens que le temps a passé *full* vite, alors que de l'autre, j'ai l'impression que ça fait une éternité que je suis ici, tant il s'est passé de choses.

Je dois avouer que je suis contente que tu aies pensé à moi lors du party de Seb. Évidemment, je me souviens aussi de cette soirée. Je me rappelle de notre chicane cette journée-là. On s'était disputés parce que je commençais à paniquer à cause de mon départ, et que j'avais senti que tu ne me rassurais pas assez. Ça me semble bien loin, tout ça ! ;)

Moi aussi, je trouve ça *cool* qu'on puisse s'écrire de temps à autre. Comme tu le dis si bien, on ne sera jamais des *best*, mais ce n'est pas une raison pour s'exclure complètement de nos vies ! Je sais aussi que Marilou restera froide avec toi. Je ne peux pas la changer ; c'est sa façon à elle de me protéger et de rester loyale.

Tu salueras ta mère pour moi. Passe une belle soirée.
Léa

Inscris un titre : Comment me rapprocher de lui ?

Écris ton problème : Salut, Manu ! C'est encore moi qui t'écris pour avoir un conseil amoureux !

Je participe présentement à des ateliers d'écriture et il y a un gars dans mon groupe que je trouve vraiment beau. En plus, il écrit super bien, et je pense qu'on a plusieurs choses en commun. Il m'a raccompagnée chez moi cette semaine et ça m'a permis de le connaître un peu mieux, mais je n'ai pas osé lui poser de questions sur sa vie, car je ne voulais pas avoir l'air indiscrète.

Ma question est la suivante : comment savoir si le gars est intéressé à me connaître un peu mieux, et surtout, comment faire pour me rapprocher de lui ? Je sais que je peux utiliser les textes qu'on doit écrire en classe, mais je ne veux pas non plus qu'il me prenne pour une tache.

Réponds-moi vite, s'il te plaît, car il ne me reste qu'une semaine d'ateliers pour le conquérir ! Léa xox

---

Manu répond à deux questions par semaine. Tu seras peut-être choisie...

Chapitre 7
Mauvais karma

À : Léa_jaime@mail.com
De : Marilou33@mail.com
Date : Vendredi 8 août, 11 h 22
Objet : C'est quoi son problème ?

Salut !

Je sais que tu es présentement dans ton atelier d'écriture en train de contempler ton bel Adam (En espérant qu'aujourd'hui, tu oses lui parler d'autre chose que du changement climatique et de la couleur de sa voiture ! Lol !), mais il fallait que je te raconte l'ampleur de la déception que je vis en ce moment.

Je me suis levée ce matin en souriant. J'étais contente, car j'allais recevoir Cédric chez moi ! En plus, j'ai passé la semaine ici à prendre soin de mon petit frère et j'étais soulagée de retrouver un semblant de vie sociale.

Je m'apprêtais à passer le contenu de ma garde-robe en revue pour choisir une tenue parfaite pour ce soir quand mon téléphone a vibré.

C'était un SMS de Cédric. Une phrase qui a anéanti ma bonne humeur et qui met un gros nuage gris sur ma journée. « Finalement, ça ne marchera pas pour ce soir. On se reprend ! Xx » Voilà, c'est tout. Pas plus d'explications, pas de proposition d'une autre activité, rien.

Je sais que d'un point de vue extérieur, ça semble tellement froid que tu dois même te demander pourquoi je m'acharne à vouloir le revoir, mais Léa, je ne suis pas folle. Je t'assure que quand je suis avec lui, je sens qu'il tient à moi et qu'on partage quelque chose de spécial. Tu me connais ! Tu sais que je ne suis pas du genre à m'inventer des scénarios !

Mais je ne suis pas non plus du genre à me contenter d'un SMS poche pour me planter là la journée même de notre rendez-vous !

Qu'est-ce que je suis censée faire ? Attendre qu'il me donne des nouvelles sans rien dire ? Je ne comprends tellement pas ! ☹ Au camp, il était le gars le plus attentionné et le plus amoureux de la Terre, mais depuis qu'on est revenus, il est devenu genre indépendant et bipolaire ! À l'AIDE !
Lou xox

P.-S. : Heureusement pour moi, Steph n'avait rien de prévu ce soir et a accepté de venir chez moi pour m'aider à trouver une solution (et pour me remonter le moral) !

À : Marilou33@mail.com
De : Léa_jaime@mail.com
Date : Vendredi 8 août, 15 h 10
Objet : Son problème, c'est qu'il ne connaît pas sa chance !

Bon, premièrement, Lou, laisse-moi te remémorer pourquoi tu t'es entichée de Cédric !

1- Tu le trouvais plus attentionné que JP.
2- Il ne jouait pas de *game* infantile.
3- Il te faisait sentir comme si tu étais au top de ses priorités (contrairement à JP).
4- Il te faisait sentir bien à la suite de ta peine d'amour avec JP.

Laisse-moi maintenant te faire un résumé de la situation actuelle.

1- Il est moins attentionné que JP dans ses pires moments.
2- Il joue apparemment une *game* infantile.
3- Il te fait sentir comme si tu étais au bas de l'échelle de ses priorités.
4- Il te fait sentir mal à la suite de ta peine d'amour avec JP.

Conclusion : Cédric a perdu tout son charme, et en plus, il te fait sentir comme une vieille chaussette. À ta place, je ne répondrais pas à son SMS. Je le ferais languir un peu. Qui sait ? Peut-être qu'il se réveillera et qu'il te fera une déclaration enflammée d'ici là !

De mon côté, non, je n'ai pas reparlé de moteurs ou de changements climatiques ! Tu seras même étonnée d'apprendre qu'on a passé toute la durée de l'atelier à faire des exercices de rédaction ensemble, et que je n'ai pas bafouillé une seule fois ! C'est peut-être dû au fait que de parler d'écriture me rend moins niaiseuse ! On verra bien dimanche, car Adam et moi allons nous rejoindre dans un café pour écrire un scénario ensemble. C'est le projet final de nos ateliers d'écriture, et la professeure insiste pour qu'on le fasse avec notre partenaire attitré !

Demain, j'ai invité Jeanne chez moi pour jouer à la Wii. Elle m'a dit qu'elle avait passé toute la semaine avec Alex, et qu'elle avait vraiment besoin d'une journée entre filles. Décidément, ils sont devenus inséparables...

Donne-moi des nouvelles plus tard !
Léa

À : Léa_jaime@mail.com
De : Samuelothon@mail.ca
Date : Samedi 9 août, 11 h 09
Objet : Un écureuil avide de potins !

Coucou !
Comme j'ai du temps à perdre avant ma partie de hockey, j'ai décidé d'en profiter pour combler ton besoin de potins.

Tu seras sans doute déçue et triste : Julien le ténébreux est maintenant officiellement en couple (du moins, selon Facebook) avec Jolie Gazelle. Il y a même des photos d'eux en camping sur le mur de Julien. Je sais, ça te fait de la peine, mais c'est aussi bien de l'apprendre et de faire ton deuil pour de bon (de toute façon, tu mérites mieux que lui).

J'ai aussi aperçu un message laissé par Cédric sur le mur de Jolie Gazelle avant-hier : « Coucou, bella ! Je voulais juste te confirmer que je serai au party de Julien vendredi avec ma copine. Bisous ! »

Quand il parle de sa « copine », j'imagine qu'il fait référence à Marilou ?

Et crois-le ou non, Chouette Motivée est monitrice dans un autre camp jusqu'à la fin du mois. Même si elle nous énerve, on ne peut pas dire qu'elle ne soit pas passionnée par son travail ! ;)

Je suis content qu'on puisse être amis, Léa !

Gros bisous !
Koala (juste pour toi)
xx

📱 09-08 22 h 13

Merci, Léa, pour la super journée de Wii et de pizza chez toi! C'était *cool* de se retrouver toutes les deux!

📱 09-08 22 h 13

Tellement! Une vraie journée de filles! J'espère qu'Alex n'était pas trop déçu de ne pas avoir été invité?

📱 09-08 22 h 14

Un peu, mais il en a profité pour jouer au hockey avec sa gang de gars. La seule chose, c'est qu'il m'a demandé si quelque chose clochait avec toi. Il te sent distante, je pense...

📱 09-08 22 h 15

Mais ce n'est rien contre lui! Je pense juste qu'il faut mettre les trois mousquetaires sur la glace pendant un certain temps... ;)

📱 09-08 22 h 16

C'est exactement ce que je lui ai dit. Je lui ai expliqué que même si on le voulait, les choses n'étaient plus tout à fait comme avant, mais que ça allait peut-être

se replacer avec le temps. ☺ Écoutes-tu ton film de
filles ?

📱 **09-08 22 h 16**
....

Je m'apprêtais à faire ça, mais je viens de lire un
courriel qui me trouble un peu...

📱 **09-08 22 h 16**
....

Raconte !

📱 **09-08 22 h 17**
....

Un ami du camp m'a écrit pour me donner des
nouvelles des moniteurs... Et je pense que je viens
de découvrir que Cédric, le chum de Marilou, a une
autre blonde !

📱 **09-08 22 h 17**
....

Hein ? Comment ça ?!?

📱 **09-08 22 h 18**
....

Cédric a écrit sur le mur d'une fille qu'il irait à un
party « avec sa blonde », mais comme par hasard,
ça tombait le soir où il a fait faux bond à Marilou...

📱 09-08 12 h 18

Tu crois qu'il l'a laissée tomber pour aller dans un party avec une autre fille? Ce serait tellement dégueu de sa part!

📱 09-08 22 h 19

Je sais! J'espère vraiment qu'il parlait de Marilou! Mais elle me l'aurait dit s'il l'avait invitée dans un party! C'est louche, cette histoire!

📱 09-08 22 h 19

Je sais! Et s'il ne parlait pas d'elle, ça voudrait dire qu'il avait déjà une blonde pendant qu'il fréquentait Marilou au camp?

📱 09-08 22 h 21

Ce ne serait pas étonnant, parce qu'il était vraiment louche quand il était question de sa vie en dehors du camp... Argh! Qu'est-ce que je suis censée faire avec ça, moi? Est-ce que je dois en parler à Marilou tout de suite, ou trouver des preuves en premier?

📱 **09-08 22 h 21**

Tu devrais peut-être parler à ton ami pour qu'il fouille sur Facebook à la recherche de photos incriminantes ?

📱 **09-08 22 h 22**

Bonne idée ! Je vais l'appeler demain matin ! Merci, Jeanne ! xx

📱 **09-08 22 h 22**

De rien ! Et bonne nuit !

À : Léa_jaime@mail.com
De : Marilou33@mail.com
Date : Dimanche 10 août, 13 h 44
Objet : Hourra !

Coucou !

Je t'écris du septième ciel ! :) Cédric a décidé de me surprendre ce matin en m'envoyant un SMS me demandant d'être prête dans vingt minutes, car il m'avait préparé une surprise. J'ai eu à peine le temps de sauter sous la douche, de me faire un chignon et d'enfiler mon jean préféré et mon t-shirt vert que tu aimes tant avant qu'il ne sonne à ma porte !

Il m'avait préparé un pique-nique, et on est allés s'installer au parc.

Lui : Je n'avais pas de tes nouvelles depuis mon SMS de vendredi. Je commençais à m'inquiéter.
Moi : Ben, à vrai dire, j'étais un peu fâchée que tu annules à la dernière minute, alors c'est moi qui attendais de tes nouvelles.
Lui (en se rapprochant de moi) : Et est-ce que je suis pardonné ?
Moi (en l'embrassant) : Hum... Un peu.

Après ça, on a parlé de tout et de rien. Je lui ai posé des questions sur son quotidien et sur ses amis, mais comme d'habitude, il est resté *full* évasif. Je pense que si je reste avec lui, il va falloir que j'apprenne à être patiente. Je sais que tu penses qu'il n'est pas assez bon pour moi, mais tu sais, peut-être que c'est moi qui me complique la vie. Dans le fond, est-ce que je dois absolument définir ce que nous sommes? Cédric est un gars spontané et rempli de surprises, et c'est ce que j'aime chez lui. Mais je suis aussi consciente que son attitude me frustre quand il me laisse en plan ou qu'il ne répond pas à mes questions, alors je dois réfléchir à tout ça avant d'aller plus loin.

Et toi, ta journée? Je dois vite me rendre à la piscine, car j'ai un entraînement intensif cet après-midi, mais j'espère qu'on arrivera à se parler ce soir!
Lou xox

À : Marilou33@mail.com
De : Léa_jaime@mail.com
Date : Dimanche 10 août, 15 h 54
Objet : URGENT! APPELLE-MOI!

Lou!
Ton cellulaire est fermé et personne ne répond chez toi. Je sais que tu es à la piscine, mais j'espérais pouvoir te laisser un message pour que tu me rappelles le plus rapidement possible.

J'aurais préféré t'en parler de vive voix, mais je veux que tu l'apprennes au plus vite : Cédric est un menteur et le pire des crosseurs que l'humanité ait connu.

Je t'épargne les détails (je te les raconterai sur Skype), mais Koala avait lu sur Facebook que Cédric devait assister à un party chez Julien avec sa blonde avant-hier. Comme je savais que ça tombait la soirée où il t'a laissée en plan, j'ai appelé Koala pour qu'il fouille sur les murs de Julien et de Gazelle à la recherche de photos compromettantes. Et il est tombé sur une photo de Cédric enlacé avec une rousse au party de Julien. Et on ne parle pas ici d'un câlin amical ! En plus, la fille en question est identifiée sur la photo, et j'ai décidé de pousser l'audace jusqu'au bout et d'aller espionner sa page. Je t'annonce que sur sa photo de profil, elle embrasse Cédric à pleine bouche, et que son statut est « en couple ».

Je suis désolée, Lou. Je sais que ce doit être un choc atroce après la surprise qu'il t'a faite ce matin. Si je l'avais devant moi, je l'étriperais.

Envoie-moi un SMS dès que tu rentres pour qu'on puisse se parler sur Skype.
Léa xox

À : Léa_jaime@mail.com
De : Marilou33@mail.com
Date : Lundi 11 août, 14 h 09
Objet : Lundi gris

Salut !
Même si en raccrochant avec toi hier soir je me sentais mieux, et que tu m'avais presque convaincue de ne pas déprimer avec cette histoire, j'avoue qu'en me levant ce matin, j'avais le moral à plat pour diverses raisons.

1- Tout ce qui va mal et qu'on parvient à refouler pendant la nuit refait toujours surface le matin.
2- Il faisait gris dehors.
3- J'avais un bouton sur le menton.
4- Je devais ENCORE passer la journée avec mon petit frère énervant.
5- Il ne restait plus de céréales au chocolat parce que mon petit frère énervant les avait toutes mangées.

Plutôt que de sombrer dans la dépression, j'ai décidé de prendre le taureau par les cornes et d'agir pour me changer les idées.

1- Je suis allée à la piscine, et tu sais que c'est thérapeutique pour moi. (Même si mon petit frère énervant a failli se noyer et que j'ai dû le surveiller entre chaque longueur pour éviter qu'il coule !)

2- Ensuite, j'ai pris un bain et j'ai camouflé mon bouton pour éviter d'être encore plus déprimée en me regardant dans le miroir.

3- J'ai appelé ma mère pour lui dire que je vivais une crise personnelle et que j'avais besoin d'air (c'est-à-dire que j'avais besoin que quelqu'un d'autre s'occupe de mon petit frère). À mon grand étonnement, elle a été compréhensive, m'a remerciée pour tout ce que je faisais pour elle cet été et s'est arrangée pour qu'une gardienne s'occupe de mon frère au cours des deux prochaines semaines.

Après ça, j'ai dû m'attaquer au vrai problème. J'ai pris mon courage à deux mains et j'ai appelé Cédric. Évidemment, il n'a pas répondu (il devait être avec son autre blonde en train de lui faire croire qu'elle était la femme de sa vie).

Je lui ai donc envoyé un SMS. « Je sais tout. Si tu ne veux pas que je crée de scandale sur ta page Facebook, appelle-moi tout de suite. »

Et comme par hasard, il m'a appelée trois secondes plus tard !

Lui (d'un ton nerveux) : Marilou ? C'est moi. De quoi tu parles dans ton SMS ?

Moi (d'un ton détaché) : Tu sais très bien de quoi je parle, sinon, tu ne m'aurais pas rappelée aussi rapidement. Après tout, tu n'as même pas pris la peine de répondre à mon appel trois minutes avant !

Lui : Euh... J'étais occupé, Marilou ! J'ai vu ton appel, et je comptais te contacter plus tard, quand j'allais avoir le temps, mais quand j'ai reçu ton SMS, je me suis dit que c'était sans doute urgent.

Moi : Tu étais occupé avec ton autre blonde ?

Lui : Hein ? Euh !... De quoi tu parles ?

Moi (en l'imitant) : Euh !... De ton autre blonde avec laquelle tu t'affiches sur Facebook !

Lui : Ah, ça ? Ben, non... Ce n'est pas ce que tu crois...

Moi (sur un ton froid) : C'est exactement ce que je crois, Cédric. Tu avais déjà une blonde quand on s'est revus au camp, et tu n'as pas eu l'honnêteté de me le dire. À la place, tu as préféré me faire croire que tu étais un grand romantique qui ne se pouvait plus d'amour pour moi. Je comprends maintenant pourquoi tu ne voulais jamais me répondre quand je te demandais ce qu'on allait faire après le camp ! Tu savais très bien que ça n'irait nulle part, notre histoire, parce que tu étais déjà en couple avec une autre ! Et dire que je m'acharnais à te défendre auprès des autres ! T'es vraiment un crosseur !

Lui (sur la défensive) : Ça ne s'est pas passé comme ça, Marilou. Ashley et moi, on a commencé à se fréquenter juste avant que j'arrive au camp, et notre statut n'était pas aussi officiel que tu le penses...

Moi (d'un ton sarcastique) : Ah, OK ! Donc tu as préféré t'amuser avec moi plutôt que d'être honnête et de choisir entre elle et moi ?

Lui : Non, ce n'est pas ça ! Mais quand je t'ai revue, ça m'a vraiment fait quelque chose, et je me suis dit que je ne pouvais pas laisser passer l'occasion de te connaître mieux. Et comme ce n'était pas officiel avec Ashley, je n'ai pas cru bon de t'en parler.

Moi (en criant) : Mais il fallait que tu m'en parles, voyons ! Tu sors avec une autre fille, Cédric ! Ce n'est pas le genre de détail qu'on oublie, ça ! À ce que je sache, tu ne t'es jamais empêché de me plaquer pour tes autres blondes dans le passé !

Lui (d'un ton navré) : Ben, justement. Je ne voulais pas que tu me glisses encore entre les doigts à cause d'une autre fille. J'ai déjà fait ça deux fois, l'année dernière, et j'étais sincère quand je te disais que je le regrettais. Cette fois-ci, j'étais décidé à nous laisser une vraie chance avant de te dire la vérité !

Moi : Je pense quand même que tu aurais dû m'informer que tu avais rencontré une fille avant d'arriver au camp !

Lui : Je m'excuse, Marilou... Mais la vérité ne m'a jamais mené très loin avec toi...

Moi (en l'interrompant) : Donc, tu t'obstines à me dire que tu n'as rien fait de mal ? Tu es pathétique, Cédric ! Non seulement tu m'as menti pendant quatre semaines, mais en plus, tu mènes une double vie depuis qu'on est rentrés du camp. Tu me manipules pour essayer de te donner bonne conscience ! Je suis tellement niaiseuse de t'avoir cru !

Lui : Je te jure que j'allais t'en parler ! Et c'est entre autres pour ça que je suis venu te voir, hier matin ! Je voulais être certain de ce que je ressentais pour toi avant de prendre ma décision...

Moi (encore sarcastique) : Wow, je suis chanceuse !

Lui : Et c'est toi que j'ai choisie, Marilou. C'est toi que j'aime ! Et tu veux savoir la vérité ? Quand tu m'as appelé tantôt, je m'apprêtais justement à casser avec Ashley ! C'est pour ça que j'étais occupé !

Moi : Eh bien, j'ai une bonne nouvelle pour toi : tu n'as plus besoin de casser, parce que je ne veux plus rien savoir de toi. Tu peux rester avec *Ashley* (j'ai dit son nom sur un ton dégoûté) si tu veux ! *Bye*, Cédric !

Et j'ai raccroché. Depuis, il m'a appelée sept fois. Il m'a envoyé quatre SMS déchirants du genre « *Tu sais que je suis un gars honnête, alors laisse-moi une autre chance !* », ou « *Je t'aime, et je n'abandonnerai pas si facilement !* », ou encore « *Comment peux-tu oublier tout ce qu'on a vécu cet été ? S'il te plaît, Marilou ! Pardonne-moi !* »

Je te rassure tout de suite : Cédric m'a fait perdre la tête pendant quelques semaines, mais je ne suis pas prête à lui pardonner ce qu'il m'a fait ! Le problème, c'est que même si ça m'a défoulée de lui dire ma façon de penser, je suis encore triste et déçue d'avoir cru en lui et en notre histoire.

Il me semble qu'après ma rupture avec JP, je méritais une petite relation simple, qui me fait du bien et qui me redonne confiance en moi, non ? Mais non ! Il fallait que je tombe sur le pire des dons Juans de la planète !

À la suite de mon appel à l'aide de ce matin, ma mère m'a rappelée il y a trente minutes pour savoir ce qui me tracassait. Je lui ai fait un résumé de la situation avant d'éclater en sanglots.

Ma mère : Pauvre Lou ! Quelle histoire !
Moi (en sanglotant) : Je sais ! Je me sens seuuule !
Ma mère : Mais non, voyons. Je suis là, moi !
Moi (d'un ton dramatique) : Oui, mais Léa est loin, et je n'ai plus de chum, et je suis triiiste. Peut-être que c'est moi, le problème. C'est pour ça que ça ne fonctionne jamais, mes histoires !
Ma mère : Ne dis pas ça ! Tu es tombée sur un mauvais gars, mais ce n'est pas ta faute, Marilou. Il ne faut surtout pas que tu doutes de toi à cause de ça.
Moi : Snif... OK.
Ma mère : Ce qu'il te faut, c'est de te changer les idées un peu... Veux-tu aller voir Léa à Montréal ?
Moi (soudain pleine d'espoir) : Tu me laisserais y aller ? Je dois lui en parler avant... Mais j'avoue que ça me changerait les idées.

Ma mère : Sinon, il y a ta tante Jacqueline qui ne demande pas mieux que de vous recevoir dans son chalet au bord du lac. C'est moins loin, et ça pourrait être plaisant pour vous d'aller profiter de quelques jours en nature, loin de vos problèmes d'ados !

Moi : MAMAN ! Arrête de nous appeler des « ados ». Ça m'énerve. Je vais en parler à Léa et je te reviens.

Je sais que tu termines tes ateliers d'écriture mercredi et que tu reviens à peine du camp, mais est-ce que ça te dirait de fuir avec moi ? Le rappel de la nature ? Si c'est trop compliqué, je peux aussi venir à Montréal... En tout cas, fais-moi savoir ce qui te tente le plus, OK ?

Lou xx

À : Marilou33@mail.com
De : Léa_jaime@mail.com
Date : Lundi 11 août, 21 h 29
Objet : Mauvais karma

Salut, Lou !

Tout d'abord, laisse-moi te dire que ta mère a raison : tu as été malchanceuse de tomber sur un gars comme Cédric, mais ce n'est absolument pas ta faute. Tu mérites vraiment d'être heureuse en amour.

Je sais que ce n'est qu'une mince consolation, mais dis-toi que ton histoire avec Cédric t'aura au moins prouvé qu'il existe d'autres gars que JP, et que c'est possible de retomber en amour ! ☺ Au moins, tu as pu lui dire ta façon de penser et casser avec lui avant qu'il ne soit trop tard ! Au bout du compte, je suis sûre que c'est lui qui se sent le plus misérable dans tout ça ! C'est lui qui se morfond et qui te supplie de lui pardonner. Ça n'enlève rien à ce qu'il t'a fait vivre. Je sais que tu te sens trahie, mais dis-toi qu'au moins, ça fait du bien à l'ego ! ☺

Pour ce qui est de ton plan de fuir nos «problèmes d'ados» (Ha ! Ha ! Ha ! C'est la pire expression que j'aie entendue de l'année !). J'embarque à 100 % ! Même si ça me tente vraiment que tu viennes à Montréal, je préfère aller te rejoindre au chalet de ta tante et ainsi fuir aussi ma vie et le moment de honte que j'ai vécu aujourd'hui.

Comme je n'ai pas encore eu la chance de t'en parler, laisse-moi d'abord te faire un résumé de mon rendez-vous d'hier avec Adam.

On s'est rencontrés en début d'après-midi dans un café près de chez moi. Quand je suis arrivée, il portait un vieux veston de cuir et était plongé dans *L'Attrape-cœurs*, de Salinger. Je ne sais pas si tu as déjà lu ce roman, mais je trouvais ça très ironique qu'il soit en train de le lire puisque le personnage principal (un peu sombre et rebelle) me fait penser à lui. J'ai vu qu'il avait déjà commandé un café et qu'il avait posé un paquet de cigarettes sur la table. Autant le tabac me dégoûte, autant je trouvais ça presque *sexy* de l'imaginer en train de fumer tout en écrivant des romans d'amoureux torturé. Je m'imaginais presque accrochée à son bras en train de faire nos courses à Paris avec nos amis auteurs. (Je sais, je délire, mais ça fait partie du comique de mon histoire.)

Quand il m'a vue, il s'est levé pour me faire la bise. Je trouvais ça vraiment romantique. Comme je ne voulais pas avoir l'air d'une folle en me mettant à déblatérer sur des sujets pas rapport, j'ai préféré me mettre tout de suite au travail. On a passé plus de deux heures à discuter de notre scénario (une histoire d'amour déchirante, évidemment), et, pendant qu'il écrivait, j'en profitais pour l'observer et rêvasser davantage. J'ai réalisé qu'il me faisait beaucoup penser à Thomas, mais en plus intello. En résumé, il représentait mon idéal masculin.

Quand nous sommes partis du café, il m'a offert de me raccompagner chez moi en voiture. Comme il pleuvait, j'ai accepté. Cette fois-ci, j'ai évité de parler de voitures ou d'accommodements raisonnables. J'ai plutôt cherché à le connaître un peu mieux.

Moi : Tu vas à quelle école ?
Lui : Je vais au cégep. J'étudie en arts et lettres.

Moi : *Cool !* Sais-tu ce que tu veux faire après ?

Lui : Je ne sais pas. Je me suis surtout inscrit au cégep pour faire plaisir à mes parents, mais je n'ai pas vraiment envie d'aller à l'université. Ce n'est pas tout le monde qui est fait pour l'école.

Moi : Ouais, je comprends.

Lui : J'ai habité à Vancouver, et j'ai vraiment tripé, là-bas. Ça m'a aussi donné la piqûre du voyage. Ce que je voudrais vraiment, c'est acheter une vieille bagnole et faire le tour des États-Unis.

Je jubilais dans ma tête. Non seulement il avait laissé tomber les monosyllabes, mais il s'ouvrait à moi ! Il m'a aussi raconté qu'il avait une petite sœur au secondaire, et une grande sœur de vingt-cinq ans qui venait de finir son droit, et que ça l'énervait parce qu'il se sentait un peu comme le mouton noir de sa famille. Il avait l'impression que son père le comparait toujours à sa sœur avocate. Je l'écoutais attentivement, et j'essayais surtout d'agir en fille mature et compréhensive.

Lui : Et toi, tu vas à quelle école ?

Moi : Euh !... Je...

Merde. Pourquoi je n'avais pas pensé à ça avant ! Je ne voulais pas lui dire que je passais en secondaire 4, car je n'avais pas envie qu'il me prenne pour une enfant.

Mon expérience désastreuse avec Julien le ténébreux me suffit pour un été !

Moi (en devenant rouge, parce que je ne sais pas mentir) : Je vais au cégep, moi aussi.

Lui (en m'observant d'un drôle d'air) : Wow ! Tu as l'air plutôt jeune pour une fille qui va au cégep. Tu devrais donner ton secret aux femmes qui veulent se faire refaire le visage !

Moi (en m'assumant de plus en plus dans le rôle de la fausse Léa) : Ouais ! Mais c'est aussi parce que je suis née en septembre, alors je suis une année plus jeune que la plupart des filles de mon groupe.

Wow ! Fausse école et fausse date de naissance. Ça s'améliore. Ne manque plus qu'une fausse orientation de carrière.

Lui : Et en quoi tu t'es inscrite ?
Moi : Euh... Comme toi, là. En arts et lettres.
Lui : *Cool !* Peut-être qu'on va se croiser dans nos cours ! Tu vas à quel cégep ?

Argh ! J'ai de la misère à me rappeler le nom de ma rue, et je ne connais toujours pas le plan du métro de Montréal... Alors de là à connaître le nom des cégeps... J'ai fermé les yeux et j'ai essayé de me remémorer le nom de celui de Félix.

Moi : Euh !... au Collège Saint-Joseph.

Lui : Hum ? Collège Saint-Joseph ? Ça existe, ça ? Tu ne veux pas parler du Collège Saint-Denis ?

Merde.

Moi : Oui ! C'est ça ! Le Collège Saint-Denis. Je suis un peu mêlée encore. Ça ne fait pas *full* longtemps que j'habite à Montréal. Je me suis trompée avec le nom d'un cégep où j'ai failli aller à Québec.

Presque crédible comme excuse. Je l'ai regardé du coin de l'œil. Il avait l'air de me croire. Ouf !

Lui : Ah, tu vas dans un cégep de bourges ! Mais, c'est correct, je t'aime quand même.

Apparemment, Félix va fréquenter un cégep de bourges. Je ne sais pas ce que ça veut dire, ni si c'est une bonne chose ou non, mais sur le coup, je m'en fichais, car Adam venait de dire qu'il « m'aimait » !

Il m'a déposée devant chez moi, et je l'ai remercié en lui faisant mon plus beau sourire.

Lui : Ce serait *cool* de faire quelque chose un soir, cette semaine. On pourrait aller prendre un verre, ou aller au cinéma.

Moi : Ouais, ce serait *cool* !

Ce serait encore plus *cool* si je n'avais pas quinze ans et que je n'étais pas certaine de me faire carter à l'entrée du bar. J'ai préféré ne rien dire et continuer d'assumer mon rôle de cégépienne. Je me suis dit que dans le pire des cas, je lui ferais croire que je n'avais que dix-sept ans. Après tout, mon faux anniversaire est en septembre, et je suis plus jeune que les autres !

Je suis rentrée chez moi avec une impression de flotter sur un nuage, puis j'ai appris pour Cédric, et toute l'histoire d'Adam m'est sortie de la tête... Du moins jusqu'à ce matin.

Lorsque je suis arrivée dans la salle de cours, Adam m'attendait. L'atelier a passé encore plus vite que d'habitude. Je me suis surprise à faire plus de blagues et à prendre mes aises avec lui. La fausse Léa que j'incarnais était sociable, ouverte d'esprit et elle avait aussi envie de parcourir les déserts américains avec Adam à bord d'une vieille Volkswagen.

La prof a vraiment aimé notre scénario. Je commençais même à percevoir une forme de respect et d'envie dans le regard des autres filles du groupe.

À la fin de l'atelier, Adam et moi sommes sortis de l'édifice en rigolant. J'ai aperçu mon frère qui m'attendait au loin. Il était appuyé contre la voiture de mes parents et il était en train de discuter avec une fille qui m'était plutôt familière. Ses longs cheveux blonds teints étaient relevés en chignon, et elle portait un legging luisant, un t-shirt des années 80 et un sac dernier cri de chez American Apparel. Elle avait un *look* de hipster branchée et portait de grosses lunettes de cool.

Puis je l'ai reconnue, et mon cœur a fait un bond dans ma poitrine.

Moi (en perdant mon sourire) : Ark. Qu'est-ce qu'elle fait là, elle ? Pourquoi elle parle à mon frère ?

Adam : Hein ? De qui tu parles ?

Moi : Je parle de la fille qui parle au gars appuyé contre la voiture. Lui, c'est mon frère Félix. Il est venu me chercher. Elle, c'est Marianne. Une fille que je connais... On a fréquenté la même école, et mettons que ce n'est pas ma meilleure amie.

Adam (en sursautant et s'arrêtant d'un coup) : Hein ? Tu connais ma sœur Marianne ?

Moi (en devenant livide) : Qu... Quoi ? Marianne est ta sœur ?

Adam : Ben, oui ! Mais comment ça, tu la connais ? Elle a, genre, trois ans de moins que toi.

Moi (en bafouillant et en ne sachant plus trop comment me sortir de cette situation) : Euh !... Je... Ouais... J'allais à son école avant... et euh !... On connaissait le même monde.

Félix m'a aperçue de loin et m'a fait un signe de la main. J'ai aussi vu Marianne sursauter en m'apercevant aux côtés de son frère.

Adam : Ben, viens ! On va aller les rejoindre !

J'angoissais vraiment à l'idée d'affronter Marianne et Félix. Je sentais qu'elle n'hésiterait pas à dévoiler ma véritable identité.

Moi (en essayant de retenir Adam) : Euh... il vaut mieux pas les rejoindre ensemble. Je veux dire... Ta sœur ne m'aime pas beaucoup. Disons qu'on s'est un peu... disputées. À cause d'un gars.
Lui (en fronçant les sourcils) : Hein ? Tu es sortie avec un gars plus jeune que toi ?
Moi : Euh... Ouais ! Tu sais, l'âge n'a pas vraiment d'importance pour moi...
Lui (en me tirant par le bras) : Eh bien, il est temps d'enterrer la hache de guerre ! Et à ce que je vois, Marianne s'entend plutôt bien avec ton frère. Allez, viens !

Quand on est arrivés à la hauteur de Marianne et Félix, je sentais que mon cœur allait me sortir de la poitrine.

Félix : Ça va, Léa ? T'és vraiment blême !
Moi (en faisant un petit signe de tête en direction de Marianne) : Ouin, je pense que c'est une baisse de

pression. Je n'ai pas déjeuné ce matin. Ce doit être ça. On est mieux d'y aller avant que je perde connaissance...

Adam : Bon... De toute façon, je pense que je n'ai pas besoin de faire de présentations officielles. Marianne, tu connais Léa ?

Marianne (d'un air bête) : Ouais. On peut dire ça.

Adam : Voyons, change d'air. Tu ne vas pas continuer à faire la gueule à cause d'une vieille histoire de gars.

J'ai détourné le regard. Mais pourquoi il se mêlait de ça !

Marianne (en regardant son frère comme s'il était le pire des attardés) : Euh ! De quoi tu te mêles, chose ? ! Tu sauras que c'est pas mal plus compliqué que ça ! Ce n'est pas juste à cause d'Éloi que Léa m'énerve ! Elle a, genre, détruit la vie de Maude !

Moi (en haussant le ton et en oubliant que j'interprétais une autre Léa) : Pardon ? Mais de quoi tu parles, Marianne ? Je n'ai jamais rien fait à Maude ! C'est elle qui a essayé de m'humilier devant toute l'école, et c'est votre petite gang de nunuches qui m'empoisonnent la vie depuis que je suis arrivée à Montréal.

Marianne (d'un air outré) : Pfff ! Rapport ! Tellement pas !

Félix (d'un air amusé) : Bon, ça suffit, les filles. Viens, Léa. C'est mieux qu'on y aille avant que tu sortes tes griffes.

J'ai jeté un coup d'œil à Adam. Il avait l'air médusé. Il ne comprenait sûrement pas pourquoi il y avait tant d'animosité entre Marianne et moi, et surtout, comment sa petite sœur et sa gang d'amies avaient réussi à humilier une fille de trois ans leur aînée. Oups!

Marianne : En tout cas, j'espère que tu ne seras pas dans ma classe cette année. Sinon, tu ne perds rien pour attendre.

Re-oups!

Adam (d'un ton confus) : Hein? Comment Léa peut-elle être dans tes cours si elle va au cégep? C'est impossible...

Il s'est arrêté de parler, puis il m'a regardée d'un drôle d'air. Il venait de lever le voile sur ma vraie identité.

Adam (d'un ton sec) : Tu ne vas pas vraiment au cégep, hein?
Marianne (en éclatant de rire) : Léa? Au cégep? Ha! C'est la meilleure! Elle t'a fait croire qu'elle avait genre dix-huit ans? Pauvre frérot!

J'ai échangé un regard avec Félix, qui se mordait la joue pour ne pas s'esclaffer. Je ne voulais pas m'expliquer avec Adam devant sa nunuche de sœur, alors je me suis empressée de m'asseoir dans la voiture, et j'ai fait signe à Félix de partir au plus vite.

Il a conduit en s'efforçant de rester silencieux, mais il a finalement éclaté de rire cinq cents mètres plus loin.

Félix : Je n'en reviens pas ! T'as vraiment fait croire à ce gars-là que tu allais au cégep ?
Moi (d'un ton bourru) : C'est beau, j'ai compris. Je suis niaiseuse.
Félix : Ben non ! J'ai déjà fait croire à des filles que j'étais plus vieux que mon âge, moi aussi.
Moi : Ah oui ?
Félix : Yep ! La seule différence, c'est que je ne me suis pas fait prendre !
Moi : Ben là ! C'était quoi les chances que sa sœur soit l'une de mes ennemies jurées ? C'est vraiment injuste ! Maudit mauvais karma !

Félix a continué à faire quelques blagues, et il a même réussi à me faire sourire. Mais quand je suis arrivée chez moi, la réalité m'a rattrapée et j'ai commencé à angoisser.

Non seulement j'allais devoir endurer Adam dans mes ateliers d'écriture pendant encore deux jours, mais en plus, je savais que je pouvais compter sur Marianne pour ébruiter cette histoire. La rentrée approche, et c'est vrai je ne perds rien pour attendre. Soupir.

Puis j'ai lu ton courriel. J'y ai vu une lueur d'espoir. J'ai tout de suite eu envie de fuir Montréal avec toi, mais mon problème, c'est que je n'ai pas terminé mes ateliers d'écriture. Je suis donc allée voir ma mère et j'ai décidé d'être honnête avec elle. Je me suis dit que c'est ce que Manu me conseillerait de faire. Décidément, les mensonges ne me mèneraient à rien aujourd'hui.

Je lui ai raconté toute l'histoire en insistant sur le fait que je regrettais vraiment d'avoir menti, mais j'avais trop honte pour retourner dans cet atelier et me confronter à Adam.

Ma mère (d'un ton découragé) : Léa ! Tu as vraiment le don de te mettre les pieds dans les plats.
Moi (en baissant les yeux) : Je sais. Je m'excuse...
Ma mère (en soupirant) : Tout ça pour impressionner un gars ?
Moi (en sentant les larmes me piquer les yeux) : Moui...
Ma mère (en me serrant contre elle) : Ne sois pas triste, ma chouette. On fait tous des erreurs, dans la vie. J'en ai fait, moi aussi. Le problème, c'est qu'en tant que parents, on voudrait éviter que nos enfants suivent nos traces... et qu'on voudrait aussi leur éviter d'avoir de la peine. Bon, il te reste combien de jours à cet atelier ?
Moi (d'une petite voix) : Deux. Mais maman, je ne peux pas y retourner et affronter Adam. J'ai trop honte.
Ma mère (en me regardant dans les yeux) : Écoute, Léa, je suis d'accord pour que tu partes rejoindre Marilou

au chalet de sa tante Jacqueline. Je pense aussi qu'un petit séjour dans la nature vous fera du bien avant la rentrée...

Moi (en souriant) : Youpi ! Merci, maman !

Ma mère : Laisse-moi finir ! Je suis d'accord pour que tu y ailles, mais tu dois d'abord terminer ce que tu as commencé. Il faut que tu finisses tes ateliers, Léa.

Moi (en perdant mon sourire) : Mais maman ! C'est trop la honte !

Ma mère : Mais non. Ce sera encore pire si tu ne te pointes plus aux cours ! Il ne faut pas t'avouer vaincue, Léa. Il faut que tu t'expliques avec Adam, et que tu termines tes ateliers. Ton père et moi avons payé pour ça. Tu semblais vraiment emballée par tes apprentissages et par ton prof. À ce que je sache, tu ne t'es pas inscrite là-bas pour rencontrer un gars. Tu t'es inscrite pour approfondir une passion, et tu as même réussi à convaincre ton père de laisser tomber la ligue de soccer pour t'investir complètement dans l'écriture. Ne nous fais pas regretter de t'avoir fait confiance...

Moi : OK, OK ! Je vais y aller. Mais est-ce que je peux rejoindre Marilou, jeudi ?

Ma mère : OK. Mais je veux que tu rentres lundi au plus tard. L'année recommence bientôt, et on a plein de choses à préparer pour la rentrée. En plus, j'ai l'impression de ne pas t'avoir vue de l'été.

Moi (en lui faisant un câlin) : Merci, maman. Mais surtout, ne me parle pas de la rentrée... Ça m'angoisse tellement ! Mais je te promets de rentrer lundi, au plus tard.

Ma mère : OK. Je vais appeler la mère de Marilou ce soir pour qu'on discute des détails et pour m'assurer qu'il y a bel et bien un adulte responsable au chalet. Il n'est pas question que je laisse deux ados sans surveillance.

Moi (en soupirant) : Maman, peux-tu éviter d'utiliser le terme « ado », s'il te plaît ? C'est vraiment *out*. (Décidément, nos mères se sont donné le mot.)

Je n'ai pas osé ajouter qu'elle pouvait me faire confiance, car après tout, je venais tout juste de lui admettre que je m'étais inventé une vie et que ça avait ruiné mes ateliers d'écriture !

La conclusion de ce LONG courriel est la suivante : malheureusement, je crois que toi et moi souffrons d'une malchance chronique liée à notre mauvais karma, mais heureusement, nous aurons la chance de passer cinq jours ensemble au chalet de ta tante ! Tu pourras me redonner des forces pour la rentrée, et moi, je pourrai te remonter le moral après ta mésaventure avec Cédric !

Je pense d'ailleurs que ma mère est en train de parler à la tienne ! (En espérant qu'elles ne se donnent pas des conseils pour mieux gérer leurs « ados » !) Je suis tellement contente ! Même si je capote à l'idée de revoir Adam demain matin, je sais que dans trois jours, je pourrai m'échapper d'ici et mettre toute cette histoire derrière moi (du moins, jusqu'à la rentrée).

Je t'embrasse et je t'envoie plein d'ondes positives ! On en a besoin, ces temps-ci ! ;)
Léa

Mercredi 13 août

14 h 27

Léa (en ligne): Jeanne, tu es là? Désolée de ne pas t'avoir rappelée, mais c'est un peu la folie depuis le début de la semaine...

14 h 28

Jeanne (en ligne): Hey! Contente d'avoir de tes nouvelles! Je commençais à m'inquiéter! Tu viens de rentrer de ton atelier?

14 h 28

Léa (en ligne): Ouais, j'ai fini aujourd'hui. La dernière semaine a été très pénible...

14 h 28

Jeanne (en ligne): Comment ça?

14 h 29

Léa (en ligne): C'est une longue histoire que je préférerais te raconter en personne! Es-tu libre ce soir? Je pars rejoindre Marilou demain matin pour les cinq prochains jours, et j'espérais pouvoir organiser une soirée de filles avec Katherine et toi!

14 h 29

Jeanne (en ligne): J'étais censée aller au cinéma avec Alex, mais je vais remettre ça à demain! J'ai vraiment envie de te voir avant que tu partes! En as-tu déjà parlé à Katherine?

14 h 29

Léa (en ligne): Elle vient justement de se mettre en ligne!

Katherine vient de se joindre à la conversation

14 h 30

Jeanne (en ligne): Salut, toi! J'ai essayé de t'appeler plein de fois au cours des derniers jours! T'étais passée où?

14 h 30

Katherine (en ligne): Salut! Je m'excuse d'être disparue de la carte! Ma mère était tannée de me voir soupirer en pensant à Mike, alors elle a cru bon de m'envoyer visiter ma grand-mère à Saint-Jovite. Trois jours sans Internet. Je capotais. J'avais peur que Mike m'oublie.

14 h 31

Jeanne (en ligne): Visiblement, ça va te faire du bien aussi de passer une soirée entre filles!

14 h 31

Katherine (en ligne): Tellement! C'est une super bonne idée! Vous voulez venir passer la soirée chez moi?

14 h 31

Léa (en ligne): Oui! On pourra se parler de nos vies! J'ai une histoire pas pire à vous raconter... Une histoire digne de Léa Olivier.

14 h 32

Katherine (en ligne): Wow! Ça promet! Et moi, je dois vous parler de Mike. Il ne m'a pas «oubliée», mais il est *full* occupé ces temps-ci et on se parle vraiment moins qu'avant. ☹ Je ne sais plus quoi faire!

Jeanne (en ligne): Et moi, je pourrai vous parler de ma première semi-dispute avec Alex. Ce n'est rien de sérieux, mais disons que des fois, j'ai de la misère à le traiter comme mon «chum». Je suis peut-être trop habituée à le voir comme un ami... En tout cas, il m'a fait savoir que ça l'énervait quand j'agissais froidement avec lui. Et vous savez qu'Alex est plutôt du type «vivre et laisser vivre», alors il devait vraiment en avoir assez pour formuler une plainte de ce genre!

14 h 32

Léa (en ligne): Ah, oui! Je suis passée par là avec Éloi! Ce n'est pas évident de passer du stade «d'amis» à «chum et blonde»! J'ai hâte que tu nous racontes!

14 h 33

Katherine (en ligne): Super! Je vous attends avec une grosse pizza chez moi à 18 h 30! À tantôt! xx

À : Marilou33@mail.com
De : Léa_jaime@mail.com
Date : Mercredi 13 août, 17 h 47
Objet : Résumé rapide

Salut !
Je ne suis pas capable d'attendre jusqu'à demain pour te faire un résumé de ma dernière journée d'atelier, car je suis trop fière de moi.

Après avoir fui Adam pendant toute la matinée d'hier et m'être assise au fond de la classe pour éviter son regard, aujourd'hui, j'ai décidé de suivre tes conseils et ceux de ma mère et de m'expliquer avec lui.

Tu avais raison quand tu m'as dit au téléphone que j'allais me sentir moins cruche, si je l'affrontais et si j'assumais mon erreur.

À la fin de l'atelier, la prof a tenu à nous féliciter pour notre beau travail. Elle nous a fait faire un dernier exercice de groupe avec notre partenaire. J'étais donc forcée d'être avec Adam.

Je suis allée m'asseoir à son pupitre. Il m'a regardée d'un drôle d'air.

Moi : Euh, salut.
Lui : Salut.

Moi : Désolée pour hier. Je sais que je t'ai évité toute la matinée, mais j'avais un peu honte.

Lui (en me regardant dans les yeux) : Honte de m'avoir menti ou honte de t'être fait prendre ?

Moi : Un peu des deux. Écoute, je vais être honnête avec toi, parce que je n'ai plus rien à perdre. Je te trouvais intéressant et mystérieux. Je ne voulais pas que tu me prennes pour une cruche parce que j'étais encore au secondaire.

Lui : Je t'aurais moins pris pour une cruche si t'avais été honnête avec moi, Léa. Ce n'était vraiment pas cool d'apprendre par la bouche de ma sœur, qui, je l'avoue, peut être insupportable, que tu avais son âge !

Moi (en baissant les yeux) : Je sais. Je suis désolée, Adam.

On a fait notre exercice en silence. Quand j'ai eu terminé, je me suis levée pour retourner à mon siège. À ma grande surprise, il a levé les yeux vers moi et m'a demandé de rester.

Moi : T'es sûr ?

Adam : Même si tu n'es pas au cégep et que notre histoire n'ira jamais plus loin, ça ne veut pas dire qu'on ne formait pas une bonne équipe pour écrire ! J'aimerais ça qu'on lise notre texte ensemble.

Je lui ai souri et je me suis rassise près de lui. Quand l'atelier s'est terminé, je l'ai remercié pour tout et je suis partie vite avant de faire une autre gaffe. Bref, même si mon épisode avec Adam compte parmi les plus honteux de ma vie, je suis contente d'avoir suivi vos conseils et de m'être excusée. Je me sens toujours aussi nouille, mais au moins, j'ai le cœur plus léger.

Je dois filer, car je dois me rendre chez Katherine pour une soirée de filles avec Jeanne. On se voit demain au chalet de ta tante !

J'ai hâte !
Léa xox

À : Léa_jaime@mail.com
De : Jeanneditoui@mail.com
Date : Samedi 16 août, 14 h 22
Objet : Et alors, le lac ?

Coucou !
J'espère que ça se passe bien au chalet de la tante de Marilou ! En tout cas, après les émotions vécues à ton atelier, je pense que ça va te faire du bien de te ressourcer loin des nunuches et du bruit de la ville !

Moi, ça va pas pire. J'ai suivi vos conseils et j'ai eu une discussion avec Alex sur le fait que c'était étrange de passer de l'amitié à la relation de couple, et que, des fois, ça me faisait réagir de façon un peu bizarre. Il a compris et ça va mieux depuis.

J'ai aussi eu des nouvelles de Katherine, ce matin. Elle m'a raconté qu'elle avait aussi discuté avec Mike pour lui dire qu'elle le trouvait distant ces temps-ci, et qu'elle trouvait ça difficile de se sentir toujours en attente. Déjà qu'une relation à distance, ce n'est pas évident... Apparemment, il a été super encourageant et l'a suppliée d'attendre qu'ils se voient à la fête du Travail, car il est sûr que tout va s'arranger lorsqu'ils pourront se serrer dans leurs bras. Si tu veux mon avis, j'ai vraiment un mauvais pressentiment à propos de cette histoire. Je pense que Katherine va se faire mal... Mais bon, j'essaie d'être une bonne amie et d'être encourageante.

À part de cela, Maude m'a envoyé un SMS, hier après-midi. Elle était rentrée de vacances, et elle organisait une petite soirée pour son anniversaire, en soirée. Je n'avais aucune envie d'y aller, surtout qu'on ne s'était toujours pas parlé depuis La Ronde, mais Alex tenait à y faire un tour, alors je n'ai pas osé dire non. J'avais demandé à Katherine de m'accompagner, mais elle refuse de voir José après ce qui s'est passé au début de l'été...

Quand je suis arrivée à la fête, Lydia, Sophie et Marianne m'ont accueillie comme si j'étais encore l'une des leurs (malgré le fait qu'elles parlent toujours dans mon dos), mais Maude était froide avec moi. J'ai parlé un peu avec les filles, et voici ce que j'ai appris :

1- Maude pense laisser José parce qu'elle a un *kick* sur son ami Antoine. (Il m'énerve tellement ce gars-là, et il n'est pas *full* beau. Je ne sais pas ce qu'elle lui trouve ! Il me semble que tant qu'à sortir avec un autre gars, elle pourrait choisir quelqu'un d'autre que l'ami de José... Mais bon, je me suis retenue de lui dire.)

2- Marianne a un nouveau chum qui ne va pas à notre école, mais qui était chez Maude. Je dois avouer qu'il est *cute*, et qu'il a l'air gentil.

3- Lydia est encore célibataire et elle se demande quand elle finira par avoir un chum.

4- Sophie aime encore secrètement José. Elle ne me l'a pas avoué de façon aussi claire, mais j'ai bien vu les regards qu'elle lui lançait. C'est évident qu'elle rêve encore de lui.

5- Marianne m'a raconté l'histoire entre son frère et toi... Je pense qu'elle espérait que je commence à me moquer de toi ou à parler dans ton dos, mais elle a été déçue, car je lui ai répondu que je le savais déjà, et que tout s'était arrangé parce tu avais mis les choses au clair avec Adam. Bref, j'ai désamorcé la bombe... Du moins, pour l'instant !

Je suis partie une heure plus tard en prétextant un mal de tête, et Alex m'a suivie. Ça nous a permis de passer un peu de temps seuls au métro avant de nous séparer... ;)

Donne-moi des nouvelles !
Jeanne

P.-S. : Mauvaise nouvelle ! Hier, j'ai reçu une lettre de l'école avec le matériel scolaire dont on a besoin pour la rentrée. Beurk ! Ça veut dire que l'école recommence officiellement bientôt... Lundi le 30 août pour être précise. Ils nous convoquent aussi lundi le 23 août pour venir chercher nos agendas, pour nous dire dans quelle classe nous serons et pour que nous puissions prendre possession de nos casiers. C'est nouveau de cette année, ça ! C'est une invitation qui est aussi lancée aux parents, mais comme on est rendues en secondaire 4, je pense qu'on peut s'arranger toutes seules ! On ira ensemble, OK ? J'espère TELLEMENT qu'on sera dans la même classe !

À : Jeanneditoui@mail.com
De : Léa_jaime@mail.com
Date : Dimanche 17 août, 19 h 21
Objet : Quelles sont les chances que ça arrive ?

Salut !
Je suis contente d'apprendre que ça va mieux entre Alex et toi ! ☺ Pour Katherine, je partage un peu ton

avis : j'ai l'impression que ça va mal finir. J'aimerais faire quelque chose pour la protéger, mais on sait bien toutes les deux qu'elle va vouloir aller jusqu'au bout de son histoire...

Ici, tout va bien... ou plutôt, tout allait super bien jusqu'à hier soir où la malchance s'est une fois de plus abattue sur moi. Laisse-moi d'abord te faire un bref résumé de notre séjour au lac.

La tante de Marilou (Jacqueline) est super fine, mais elle est sans contredit la femme la plus granola que j'ai connue de ma vie. Quand nous sommes arrivées jeudi, elle nous attendait avec des smoothies à l'avocat et un mets bizarre à base de quinoa biologique, de semoule de je ne sais pas quoi et de tofu. Elle a un super grand jardin derrière son chalet où elle fait pousser des fruits et des légumes, et Marilou et moi avons passé des heures à cueillir des carottes, des haricots, des fraises et des framboises avec elle et à cuisiner des petits plats maison.

Comme elle n'a qu'une vieille télé des années 70 sans câble (Elle croit que c'est mauvais pour la santé... Sans commentaire.), que le réseau cellulaire ne se rend pas jusqu'ici et que la connexion Internet sur son vieil ordi est la plus lente au monde (d'ailleurs, ce courriel ne se rendra peut-être à toi qu'après mon retour en ville !), ça limite un peu les interactions avec le monde extérieur, ce qui n'est pas une mauvaise chose. Le soir, on joue aux cartes ou à des jeux de société, et ça fait du bien de décrocher autant dans la nature sans devoir manger dans une gamelle ou faire pipi dans les bois !

J'ai eu de bonnes discussions avec Marilou, qui commence peu à peu à se remettre de son histoire avec Cédric. Je pense que sous sa déception amoureuse se cache une vraie peine d'amour qu'elle n'avait pas complètement assumée avec JP. Mais maintenant qu'elle n'a personne à qui s'accrocher, elle doit y faire face. Mais la bonne nouvelle, c'est que je la sens moins déprimée que je ne l'appréhendais. Elle réalise qu'elle s'est un peu emballée avec Cédric, et qu'au fond, ce n'est pas une mauvaise chose qu'elle soit toute seule pendant un certain temps. Marilou est une fille super forte. C'est ce que j'admire le plus chez elle. En plus, ça fait longtemps qu'on ne s'est pas retrouvées célibataires en même temps, alors au moins, on se sent moins seules dans tout ça !

Bref, tout allait super bien dans notre petit monde granola, et on se sentait à l'abri des attaques du monde extérieur. Le problème, c'est qu'il ne faut jamais sous-estimer la malchance dans la vie de Léa Olivier.

Je m'explique ! Hier soir, Jacqueline a décidé d'aller se coucher tôt. Marilou et moi en avons profité pour écouter un vieux film que sa tante avait sur vidéocassette. Nous étions plongées dans l'histoire quand nous avons entendu des cris et de la musique assez forte à l'extérieur.

Moi : C'est quoi, ça ?
Lou : Euh !... Comme je sais que ce n'est pas Jacqueline qui s'improvise un *rave* dans sa chambre, j'imagine que ce doit être les voisins.
Moi : Mais ça va réveiller ta tante, non ?
Lou : Impossible. Elle met des bouchons dans ses oreilles, et c'est la personne qui dort le plus dur en ville. Je me demande vraiment qui fait tout ce vacarme. On n'est pas sur la rue Sainte-Catherine, quand même !
Moi : Veux-tu qu'on aille espionner ?
Lou (comme si je venais de lui offrir de partir en voyage à Cancún) : OUIIIII !

Quitte à partir à l'aventure, on a enfilé des pantalons de jogging et des t-shirts noirs pour bien se mettre dans la peau de nos personnages et pour mieux se camoufler dans la nuit.

On s'est faufilées doucement à l'extérieur, et on a réalisé que les bruits provenaient effectivement du chalet voisin, qui est séparé de celui de la tante de Marilou par une rangée de grands chênes.

Moi (en chuchotant) : C'est peut-être mieux qu'on passe par la plage. J'ai peur qu'on se fasse remarquer parmi les arbres !

Lou (en chuchotant aussi) : T'as raison. Au pire, s'ils voient des ombres sur la plage, ils vont penser que ce sont deux amoureux qui font une promenade nocturne.

Même si la lune brillait et éclairait nos pas, ça ne m'a pas empêchée de laisser aller mon imagination.

Moi (tout bas) : Tu sais que ça ressemble pas mal aux scénarios de films d'horreur, notre affaire ? !

Lou (en marchant juste derrière moi) : Quoi ça ? Un party enflammé dans un chalet ?

Moi : Ouais ! ... Et le fait que les deux protagonistes vont faire une promenade et se font attaquer par, genre, un monstre, mais personne n'entend leurs cris à cause de la musique et des bruits de la fête !

Lou (en s'arrêtant d'un coup sec) : LÉA ! Pourquoi tu penses à des choses comme ça ? ! J'ai peur, maintenant !

Moi (en riant un peu) : Mais non ! Allez, viens !

J'ai pris la main de Marilou dans la mienne et on s'est approchées discrètement du chalet voisin. Il y avait une dizaine de personnes qui buvaient de la bière en riant sur la galerie, et on pouvait voir par la fenêtre qu'il y avait encore plus de monde à l'intérieur. La musique grondait très fort.

Moi : On dirait du monde de notre âge...

Lou : Ouais ! Et on dirait qu'ils ont une vie plus trépidante que la nôtre.

Moi : Ben là ! On joue au Scrabble, on mange santé et on écoute des films en noir et blanc ! C'est *full* excitant !

Marilou a étouffé un rire et on s'est assises par terre. On s'était installées près de la plage, à l'ombre du premier grand chêne, ce qui nous permettait d'espionner la fête sans être vues.

Moi : On aurait dû apporter des jumelles pour voir quelque chose !

Lou : Viens ! On va se rapprocher !

Moi : J'ai peur de me faire surprendre !

Lou : Ben, non ! Ils ont l'air trop pompettes pour nous voir...

Moi (en scrutant la pénombre) : Ou trop occupés à se *frencher* !

Un couple était en train de s'embrasser contre l'un des arbres.

Lou (en regardant vers le couple) : Ouah ! Je vois ça ! C'est drôle, mais la fille me dit vaguement quelque chose.

J'ai plissé les yeux pour mieux voir.

Moi : Ah ouais ? On dirait que la fille a les cheveux bleus.
Lou : Oh, non...

Marilou a ouvert la bouche et écarquillé les yeux. Elle m'a aussitôt tirée derrière l'arbre pour qu'on soit complètement cachées des voisins.

Moi : Ben, voyons ! Qu'est-ce qui se passe ? As-tu vu un fantôme ?
Lou : Non, mais presque ! La fille qui *frenche* le gars, c'est Odile !
Moi (en sursautant) : Odile ? Odile comme dans « l'amie de Sarah Beaupré » ?
Lou : Oui ! Mais qu'est-ce qu'elle fait ici ?

Je me suis couchée à plat ventre dans l'herbe et j'ai rampé un peu loin pour arriver à mieux voir les autres invités du party.

Moi : La fille là-bas avec les cheveux rouges, est-ce que c'est Géraldine ?
Lou (en jetant un coup d'œil rapide) : OUIIII ! Pourquoi, mais pourquoi fallait-il tomber sur mes nunuches ici, à l'autre bout du monde ?
Moi (en souriant) : Parce que c'est notre destin, Lou. C'est notre « super » karma qui nous suit partout !

On est restées silencieuses pendant quelques instants, puis on s'est installées confortablement pour mieux scruter ce qui se passait à l'intérieur du chalet, mais on a été interrompues par un groupe de jeunes en maillot de bain qui couraient vers le lac avec leurs serviettes de plage.

Fêtard numéro un : OUAIS ! C'est l'heure du bain de minuit !

Fêtard numéro deux : Le dernier dans l'eau est un *loser* !

Fêtarde numéro trois (d'une voix énervante et familière) : Les gaaaaaars, attendez-moi !

Marilou et moi avons échangé un regard, puis nous avons rebroussé chemin discrètement pour éviter de nous faire surprendre par les nageurs. Une fois en sécurité, on s'est assises dans la véranda du chalet de Jacqueline pour récapituler.

Moi : Lou... La voix de la fille qui j'ai entendue près du lac... Il me semble qu'il n'y a qu'une seule fille au monde avec une voix comme celle-là ! Et je suis capable de la reconnaître parmi des milliards...

Lou : Je sais... Sans compter que ses *bests* sont ici !

Moi : Alors j'ai pas rêvé ? C'est bien Sarah Beaupré qui s'en allait prendre son bain de minuit avec les gars morons ?

Lou : Oui, c'est bien elle.

J'ai secoué la tête d'un air découragé. Pourquoi mon ennemie numéro un au monde, qui habite à des centaines de kilomètres de moi avait-elle décidé de faire un party à côté du chalet de la tante de ma meilleure amie situé au milieu de nulle part ? Quelles sont les chances que ça arrive ? !

Lou : Ça me revient, maintenant... Je me rappelle que JP m'a déjà mentionné que Sarah avait un chalet au bord d'un lac...
Moi : Ouais, mais il y a beaucoup de lacs au Québec ! Ça ne pouvait pas tomber sur un autre ?
Lou (en étouffant un rire) : Ben, non ! Tu sais bien que la malchance nous suit partout où on va !

On a éclaté de rire, puis on a décidé d'aller se réfugier dans le chalet de Jacqueline avant que Sarah et ses nunuches ne nous voient.

Nous avons passé une partie de la nuit à discuter et à tendre l'oreille pour essayer d'entendre les conversations du party (sans succès), et quand nous avons fini par nous endormir, il commençait à faire jour.

Jacqueline a eu la gentillesse de nous laisser dormir jusqu'à 13 h ! Quand je me suis levée, j'ai accepté le café qu'elle m'offrait, et je suis allée jeter un coup d'œil par la fenêtre de derrière pour voir si les « super » nunuches étaient encore là.

Jacqueline : On dirait qu'il y a eu tout un party dans le chalet d'à côté, la nuit dernière ! Je les ai entendus brasser ce matin !

Moi : Je sais ! Nous, on les a entendus presque toute la nuit ! Est-ce qu'ils sont partis ?

Jacqueline : Oui. Les derniers viennent de s'en aller. Je suis contente, je n'avais pas envie d'endurer des fêtards bruyants toute la journée.

Moi : Moi non plus ! (Si elle savait à quel point j'étais contente d'apprendre que Sarah avait disparu avant que je me lève ! ! !)

Marilou s'est jointe à nous quelques minutes plus tard, et nous avons partagé un bon petit-déjeuner avant d'aller faire une grande balade sur la plage et nous asseoir face au lac. J'étais vraiment contente de pouvoir me promener sans craindre de tomber sur Sarah, Odile ou Géraldine.

J'espère que notre aventure farfelue t'a divertie ! Je te laisse, car je dois rejoindre Marilou pour admirer notre dernier coucher de soleil ensemble. Sa tante a loué des films plus récents, alors une autre soirée relaxe nous attend, et cette fois-ci, je sais que nous ne serons pas interrompues par Sarah Beaupré et sa clique !

Je rentre à Montréal demain soir. On pourrait peut-être organiser quelque chose cette semaine avec Katherine ? Qu'en penses-tu ?
Léa
Xox

P.-S. : C'est tellement déprimant de penser qu'on recommence l'école dans seulement deux petites semaines... C'est sûr qu'on s'y rend ensemble lundi prochain, et moi aussi j'espère qu'on sera dans la même classe ! (Et surtout de ne pas me retrouver dans la même que les nunuches. Une année de souffrance, c'est assez !)

Chapitre 8
Hip ! Hip ! Hip !
Hourra !

À : Thomasrapa@mail.com
De : Léa_jaime@mail.com
Date : Mardi 19 août, 17 h 33
Objet : Le monde est petit !

Salut !
Juste un petit mot pour te raconter un drôle de hasard...
La fin de semaine dernière, j'ai accompagné Marilou
au chalet de sa tante Jacqueline pour profiter du lac et
pour passer un peu de temps ensemble avant le début
de l'école.

Lors de notre avant-dernière soirée au chalet, on s'est
rendu compte qu'il y avait un party chez les voisins...
et après vérification, on a réalisé qu'il s'agissait entre
autres de Sarah, Géraldine et Odile. Tu comprendras
que je n'ai pas pris la peine de les saluer, mais je
trouvais ça ironique qu'on se retrouve côte à côte, au
milieu de nulle part ! ;)

J'espère que tout va bien de ton côté et que tu passes
une belle fin d'été.
Léa xox

À : Léa_jaime@mail.com
De : Thomasrapa@mail.com
Date : Mardi 19 août, 21 h 58
Objet : Encore plus petit qu'on le pense !

Salut, toi !

Comble du hasard : j'étais là ce soir-là au party. Sarah avait décidé de profiter de l'absence de ses parents pour organiser une grosse boum avant la rentrée, mais je n'ai jamais soupçonné que tu te trouvais à quelques mètres de moi. Avoir su, je serais allé te voir...

Je comprends que tu n'aies pas osé venir dire bonjour, ou que Marilou n'ait pas eu envie de se taper les amies de Sarah avec qui elle ne s'entend pas super bien, mais je trouve ça vraiment frustrant de savoir que je t'ai manquée de peu. Même si je sais que ce n'est pas « prudent » de se voir, et que je me doute que Sarah aurait fait toute une crise de jalousie en apprenant que tu n'étais qu'à quelques pas de moi, je ne peux pas m'empêcher de rêver à ce que ça aurait pu être de te tenir contre moi pendant quelques secondes...

Bon, tu dois rire de moi et te demander ce qui est arrivé avec Thomas-le-gars-qui-ne-parle-pas-de-ses-sentiments, mais ne t'en fais pas, car il n'est pas très loin ! Je me permets toutefois d'être sentimental pendant quelques lignes, parce que ça m'a fait tout un choc de lire ton courriel.

Par «simple curiosité», penses-tu venir dans le coin bientôt? De mon côté, il n'y a rien de sûr encore, mais il se peut que j'aie à accompagner mon oncle à Montréal en octobre pour des trucs pour son garage. Je pense qu'il pourrait peut-être s'arranger sans moi, mais la vérité, c'est que je ne suis pas allé à Montréal depuis que je suis petit, et qu'il y a quelqu'un là-bas qui m'est très cher et que j'aimerais bien revoir un jour...

Prends soin de toi, et donne de tes nouvelles.
Thomas

Jeudi 21 août

09 h 49

Jeanne (en ligne): Léa? Es-tu debout?

09 h 49

Léa (en ligne): Ouais... Je gosse sur Internet. En vérité, je n'ai pas super bien dormi.

09 h 50

Jeanne (en ligne): Comment ça? Ça ne va pas?

09 h 50

Léa (en ligne): Ça va, mais j'ai reçu un courriel de Thomas hier soir, et ça m'a mise à l'envers...

09 h 51

Jeanne (en ligne): Comment ça? Qu'est-ce qu'il t'a dit?

09 h 51

Léa (en ligne): Hum... Tu promets de ne pas me juger si je te raconte?

09 h 51

Jeanne (en ligne): Ben non, voyons! Pourquoi je te jugerais?

09 h 52

Léa (en ligne): Je ne sais pas, c'est vrai que ce n'est pas ton genre! ☺ Excuse-moi... Disons que je n'ai pas l'habitude de me confier à propos de Thomas. Ça a déjà causé de la chicane entre Marilou et moi, alors je n'ose jamais trop lui en parler. Je me dis que moins j'en parle, moins j'y pense. Et moins j'y pense, plus je l'oublie.

09 h 52

Jeanne (en ligne): Je comprends, mais vas-y. Je t'écoute.

09 h 54

Léa (en ligne): Ce n'est rien de majeur; c'est simplement que j'ai écrit à Thomas pour lui raconter l'épisode du party au chalet de la tante de Marilou, et j'ai appris qu'il était là, ce soir-là. Bref, il avait l'air vraiment déçu de m'avoir ratée. Il était un peu sentimental dans son courriel. Il a dit qu'il aimerait me revoir et que ça se peut même qu'il vienne à Montréal cet automne. Je sais que ça devrait me laisser indifférente, mais je dois avouer que ça m'ébranle un peu. ☹

Jeanne (en ligne): Ben là, c'est *full* normal! Tu l'as aimé comme une folle, ce gars-là, et ce n'est pas quelque chose qui s'efface rapidement...

Léa (en ligne): Je sais, mais ça fait quand même presque un an que je suis ici, et genre dix mois que c'est fini entre lui et moi. Combien de temps c'est censé durer, tout ça? Jusqu'à quand vais-je me sentir nerveuse quand je vois son nom à l'écran ou que j'ai des nouvelles de lui?

Jeanne (en ligne): Je ne sais pas... La vérité, c'est que je n'ai jamais connu un amour comme ça. J'aime beaucoup Alex et on s'entend *full* bien, mais ce n'est pas ce genre de grande passion. On est fusionnels parce qu'à la base, on était toujours ensemble comme amis, mais quand tu me parles de ce que tu as ressenti pour Thomas et de l'effet qu'il te fait encore aujourd'hui, je réalise que ce n'est pas ça. Je me demande même si c'est normal...

Léa (en ligne): Honnêtement, je commence à croire qu'il existe différents types d'amour. Avec Éloi non plus, ce n'était pas la grande passion, mais quand on sortait ensemble, je me sentais heureuse. Je ne pensais pas vraiment à Thomas. Ça ressemble un peu à ton histoire avec Alex. Je crois que vous êtes plus semblables qu'Éloi et moi ne l'étions, et je suis sûre que ça va durer entre vous! ☺

10 h 01

Jeanne (en ligne): Oui, tu as raison. Je n'aide pas la situation en restant toujours sur mes gardes... Merci pour les encouragements!;) Pour en revenir à ton histoire, je sais que ça te fait un peu paniquer de ressentir encore quelque chose pour Thomas, mais je crois que certaines personnes nous restent dans la peau pendant longtemps. Ça ne veut pas dire que tu veux revenir avec lui; simplement que vous avez vécu quelque chose d'intense. Tu peux te considérer chanceuse d'avoir connu ce type de passion! ☺

Léa (en ligne): Oui, c'est ce que Marilou me répète souvent. Je pourrais sûrement lui en glisser un mot. Depuis sa rupture avec JP, je pense qu'elle comprend un peu plus ce que je ressens face à Thomas.

10 h 02

Jeanne (en ligne): C'est sûr que oui. ☺

10 h 03

Léa (en ligne): Coudonc, on est donc bien intenses pour un jeudi matin! On dirait quasiment qu'on anime une émission de radio pour les cœurs brisés! *S.O.S. J'écoute!* Lol!

10 h 03

Jeanne (en ligne): Oui! Je crois qu'on est en train de devenir beaucoup trop intenses! Lol!

10 h 04

Léa (en ligne): J'aurais envie de faire quelque chose pour me changer les idées un peu... et profiter des derniers jours de vacances!

Jeanne (en ligne): Moi aussi! D'ailleurs, Katherine nous invite à aller nous baigner chez sa cousine, qui n'habite pas très loin de chez moi. Ça te tente?

10 h 05

Léa (en ligne): Mets-en! Surtout avec la canicule!

10 h 05

Jeanne (en ligne): Cool! Et ça te dérange si j'invite Alex? Je pense qu'il inviterait sûrement Alexis.

10 h 05

Léa (en ligne): Pas du tout! Ça me fera plaisir de les voir!

10 h 06

Jeanne (en ligne): Cool! Va déjeuner et te préparer, et viens chez moi dès que t'es prête! On ira ensemble!

10 h 07

Léa (en ligne): Super! À tantôt! xx

À : Léa_jaime@mail.com
De : Marilou33@mail.com
Date : Vendredi 22 août, 22 h 49
Objet : Surprise !

Tu ne devineras jamais avec qui j'ai passé la journée ! Non, ce n'est pas avec Cédric (je n'ai pas complètement perdu la tête), et non, ce n'est pas non plus avec Géraldine ou Odile !

En fait, tu seras étonnée d'apprendre que JP m'a envoyé un SMS ce matin pour me demander ce que je faisais et me proposer qu'on se voie. Sur le coup, j'ai hésité parce que je n'avais absolument aucune envie de fondre en larmes dans ses bras ou de tomber en mode nostalgique, surtout pas après les mésaventures que je viens de traverser, mais j'ai fini par accepter en me disant qu'il valait mieux que je le revoie avant la rentrée, vendredi prochain. (Ne me demande pas pourquoi mon école nous impose une rentrée un vendredi. C'est complètement absurde.)

Je l'ai rejoint chez lui, ce qui m'a permis de saluer sa famille. Ils avaient l'air sincèrement contents de me revoir. J'ai remarqué que JP était plus détendu que la dernière fois que je l'ai vu. On a bavardé un peu dans sa chambre (Maintenant qu'on ne sort plus ensemble, ses parents nous laissent même fermer la porte ! Lol !

J'ai fait la remarque à JP et il l'a trouvée très drôle!),
puis on est allés se balader.

C'est une fois rendu au parc (à NOTRE parc... celui à
côté de l'église avec la petite fontaine) qu'on s'est assis
et qu'on s'est mis à parler des « vraies affaires ».

Moi : J'étais surprise que tu m'envoies un texto et que
tu aies envie de me voir...
Lui : Ah oui ? Pourquoi ?
Moi : Eh bien, on ne peut pas dire que l'atmosphère
était super détendue la dernière fois qu'on s'est croisés
chez Seb... Tu avais l'air plutôt distant avec moi, alors
je ne m'imaginais pas que tu aies envie de me revoir
tout de suite.
Lui : Ouais, je sais... Mais c'était la première fois
depuis des semaines qu'on se revoyait, et j'avoue que
j'étais nerveux. Je ne savais pas trop comment agir
avec toi. En plus...

Il a décidé de ne pas terminer sa phrase. Ça m'énerve,
quelqu'un qui ne veut pas dire le fond de sa pensée !

Moi (en insistant) : En plus... Quoi ?
Lui (en me regardant d'un air gêné) : En plus, je savais
que tu sortais encore avec ton clown, et ça me rendait
fou de t'imaginer avec lui.

J'ai souri. J'aimais bien qu'il soit un peu jaloux et qu'il traite Cédric de clown !

Moi : Ouais, mais moi ça faisait des semaines que j'endurais Géraldine qui se prosternait carrément à tes pieds, et je n'ai jamais rien dit.
Lui : Je sais, mais la différence, c'est que moi, j'ai rejeté Géraldine, alors que toi, t'as décidé de donner une chance à ton Cédric.

Il y a eu un petit moment de silence. Tout à coup, une question m'est venue à l'esprit. Pourquoi JP avait-il soudainement envie de passer la journée avec moi alors qu'il n'avait aucune raison de soupçonner que je ne sortais plus avec le « clown » ?

Moi (d'un air innocent) : Et qu'est-ce qui a changé depuis le party de Seb ?
Lui : Premièrement, j'avais vraiment envie de te voir avant la rentrée. Deuxièmement, tu me manquais trop et troisièmement...
Moi (d'un ton sec) : JP, il faut vraiment que tu apprennes à terminer tes phrases !
Lui (en me regardant d'un air coupable) : Et troisièmement, j'ai appris que tu ne sortais plus avec Cédric.
Moi (en me levant d'un bond) : Quoi ? Comment as-tu su ? Il n'y a que Léa, Laurie et Steph qui sont au courant ! Ça veut dire que mes amies m'ont trahie ?

Lui (en riant) : Ben non, voyons ! Tes amies ne t'ont pas trahie ! Tu es tellement dramatique quand tu le veux ! La vérité, c'est que j'ai demandé à Seb de s'arranger pour faire parler Steph.

Moi (en fronçant les sourcils) : Steph est une fille super loyale ! Comment Seb a-t-il réussi son coup ?

Lui : Il a demandé à Steph si tu sortais encore avec Cédric en ajoutant que si tu étais devenue célibataire, il connaissait un gars parfait pour toi, et qu'il aimerait te le présenter.

Je l'ai regardé d'un drôle d'air.

Moi : Donc, si je comprends bien, tu as demandé à ton ami de soutirer des infos à sa blonde, qui est de surcroît l'une de mes meilleures amies, sous prétexte que c'était pour me présenter un gars ?

Lui (d'un air gêné) : Ouais, ça ressemble à ça. Et comme Steph ne veut que ton bien, elle s'est empressée de lui avouer que tu étais maintenant célibataire en espérant qu'il puisse te présenter le nouvel homme de ta vie.

Je suis restée pensive pendant quelques instants. Même si je savais très bien que JP était un gars plus terre à terre que Cédric et qu'il ne me surprendrait probablement jamais à l'école avec une douzaine de roses, j'étais forcée d'admettre que je trouvais ça vraiment romantique qu'il ait inventé toute une histoire pour savoir si j'étais célibataire ou non. Le seul hic, c'est que je ne tenais pas à ce qu'il sache que Cédric m'avait menti et trahie. Je préférais qu'il croie que c'est moi qui l'avais plaqué parce que j'en avais assez de lui.

Moi : Est-ce que Steph lui a donné des détails à propos de ma rupture ?
Lui : Non. Elle a juste mentionné que tu avais cassé avec lui. (Merci, Steph !)
Moi : Ah, OK. (moment de silence) Mais est-ce que tu voulais qu'on se revoie, genre... pour reprendre ? Parce que je ne crois pas que les choses aient tellement changé entre nous, JP. Je suis encore la fille exigeante qui veut plus...
Lui (en m'interrompant) : Ne t'en fais pas, Lou. Je ne suis pas ici pour te convaincre de reprendre. Je voulais juste qu'on se revoie pour le *fun*. Genre pour passer du temps ensemble.

J'ai souri et on a changé de sujet. Il m'a parlé de ses amis et de son été, et moi je lui ai fait un résumé du camp.

J'ai aussi appris entre les lignes que Thomas avait voulu prendre une pause avec Sarah, il n'y a pas très longtemps, mais qu'elle vivait une mauvaise passe à la maison (genre que ses parents divorcent), et qu'il ne voulait pas en ajouter davantage... Je trouve ça ironique, parce que l'année dernière, quand tu as traversé une période difficile en laissant tout derrière toi pour t'installer à Montréal, ça ne l'a pas empêché de casser avec toi ! Peut-on en conclure que Thomas a changé et qu'il est devenu plus humain ? On se croise les doigts ! ;)

En résumé, la journée s'est si bien déroulée entre nous que j'ai même accepté de l'accompagner magasiner, dimanche. Il a besoin de nouveaux vêtements pour l'école, et je suis décidée à le rendre moins « Yo ». Quand j'étais sa blonde, JP pognait les nerfs dès que j'essayais de changer son style, maintenant qu'on ne sort plus ensemble, rien ne m'empêche de me laisser aller !

Je ne sais pas si ça fait de nous des « amis », mais je trouve ça *cool* de reprendre contact avec lui. Comme je sais qu'on devra se côtoyer tous les jours à l'école ainsi que dans les partys à cause de nos amis communs, je me dis que ça rendra la situation moins pénible.

Voici donc un beau résumé de ma journée !

Et toi ? Comment se passe ta semaine ? Qu'est-ce que tu fais de bon ? C'est devenu rare que je passe plus de deux jours sans avoir de tes nouvelles... Ça me manque ! ☹
Lou xox

Samedi 23 août

Katherine (en ligne): Léa? T'es là?

Léa (en ligne): Oui! Je parlais sur Skype avec Marilou, mais elle vient de partir à son entraînement de natation. Comment ça va?

Katherine (en ligne): Bof!... Toujours pareil. Mike est censé arriver ici dans deux semaines, mais il n'a toujours pas de plan définitif. J'ai le pressentiment que ça va tomber à l'eau... ☹

Léa (en ligne): Mais non! Ça ne sert à rien d'être négative! ☺ Moi, j'ai bon espoir qu'il vienne! Je t'avoue qu'avant j'étais un peu sceptique, mais depuis qu'on l'a «rencontré» sur Skype l'autre fois avec Jeanne, je crois plus en votre histoire. ♥ Il a vraiment l'air amoureux de toi, en tout cas!

339

Katherine (en ligne): Tu trouves? Ha! Ça fait du bien à entendre! Mais là, il faut aussi que je me secoue et que je sorte de ma bulle. Ma mère m'a fait un long discours tout à l'heure parce qu'elle est inquiète de mon comportement. Je lui ai répondu que je ne comprenais pas pourquoi elle se faisait du mauvais sang pour moi, alors que je passais presque tout mon temps dans ma chambre au lieu de faire la fête. Elle a répliqué que j'avais l'âge de faire la fête, et non de rester dans ma chambre. C'est rendu que même ma mère me pousse à faire le party!

11 h 51

Léa (en ligne): Lol! Et elle a raison! Il faut te sortir de ton cocon! Viens chez nous aujourd'hui! Ça va te faire du bien de changer d'air!

11 h 51

Katherine (en ligne): Bonne idée! Est-ce que Félix sera là avec sa nouvelle blonde?

Léa (en ligne): Hum!... Peut-être, mais on ne sait jamais avec lui. Il est dans une phase « imprévisible » qui énerve beaucoup mes parents. Genre, il appelle à la dernière minute pour dire qu'il ne vient pas souper ou qu'il se pointera avec trois amis! Du grand Félix! Pourquoi? Es-tu encore nerveuse à l'idée de le revoir? As-tu peur que ça te fasse de la peine de le voir avec une autre?

11 h 54

Katherine (en ligne): Non, je ne suis pas nerveuse du tout. Mon histoire avec Mike m'a vraiment permis de terminer mon deuil! ☺ L'affaire, c'est que même si je suis vraiment *in luv* avec un autre et que je ne m'ennuie plus de Félix, ça ne m'empêche pas de vouloir avoir l'air *chicks* devant sa nouvelle blonde! J'ai mon orgueil de fille, quand même!

11 h 54

Léa (en ligne): Ha, ha! Je te comprends tellement! Alors, je te suggère de te mettre sur ton 31, car il est tout le temps avec elle, ces temps-ci!

11 h 54

Katherine (en ligne): Super! Je me prépare et j'arrive! À plus! xx

À : Samuelothon@mail.ca
De : Léa_jaime@mail.com
Date : Dimanche 24 août, 16 h 22
Objet : Merci !

Salut, Koala !
Je voulais juste t'écrire un petit courriel pour te remercier de m'avoir transmis les potins à propos de Cédric. La vérité (garde ça pour toi), c'est que lorsqu'il parlait de « sa copine », il ne faisait pas référence à Marilou ! On a donc découvert qu'il était le pire des crosseurs de la planète ! Bref, tes informations ont permis à Lou de terminer sa relation avec lui avant qu'il ne la niaise davantage !

Et toi, quoi de neuf à Blainville ? Quand recommences-tu l'école ? Moi, je dois me rendre à l'école demain matin pour récupérer mon horaire, et ensuite, il ne me restera plus que 4 petits jours avant de tout recommencer. Je t'avoue que ça ne me tente pas vraiment de retourner à l'école. J'ai eu l'occasion de fréquenter tous mes vrais amis au cours de l'été, et le fait de reprendre les cours me forcera malheureusement aussi à revoir tous ceux dont je t'ai parlé au camp et qui ne me portent pas dans leur cœur... Si seulement je pouvais inventer une école où seules les personnes que j'aime pouvaient s'inscrire, ma vie irait mieux ! ;)

J'espère que malgré le tourbillon de la rentrée, on pourra rester en contact !

Donne-moi des nouvelles bientôt !
Léa xox

Dimanche 24 août

22 h 47

Alex (en ligne): Petit Rongeur? Es-tu là?

22 h 48

Léa (en ligne): Oui, je suis là. Mes parents regardent un film français vraiment plate, alors j'en profite pour naviguer sur le Net.

22 h 49

Alex (en ligne): Peux-tu aussi en profiter pour expliquer à ton ami pourquoi c'est si bizarre entre nous depuis que tu es rentrée?

22 h 50

Léa (en ligne): Je pense que tu le sais, Alex. ☺ C'est un peu bizarre pour moi de me tenir avec Jeanne et toi parce que vous êtes un couple, et que, des fois, je me sens de trop, mais ça n'a rien à voir avec toi, alors ne va pas croire que je suis fâchée.

Alex (en ligne): Ouais, mais à la piscine cette semaine, c'est à peine si tu osais me regarder dans les yeux! Et ne viens pas me dire que c'est parce que je collais Jeanne! On ne s'est pas touchés de la journée! On dirait qu'elle m'évite, ces temps-ci.

22 h 55

Léa (en ligne): Mais non, elle ne t'évite pas. C'est juste un peu bizarre pour elle des fois de devoir gérer un «couple». Laisse-lui du temps! Pour ce qui est du reste, je pense simplement qu'elle fait un effort quand on est en groupe pour éviter que je me sente rejet. J'ai eu une discussion avec elle quand on était à La Ronde, alors c'est sûrement de ma faute. Désolée...

22 h 57

Alex (en ligne): Mais tout ça, ça n'explique pas pourquoi tu es froide avec moi, Léa. OK, Jeanne est parfois mal à l'aise de me coller ou de s'afficher devant les autres. Mais je ne comprends pas ce qui se passe entre toi et moi. Ma relation avec Jeanne ne t'empêche pas d'être amie avec elle, alors pourquoi ça te rend si distante avec moi?

22 h 58

Léa (en ligne): Est-ce que je dois vraiment te faire un dessin ? ;)

22 h 58

Alex (en ligne): Apparemment, oui. Je dois être moins intelligent que tu le penses !

22 h 58

Léa (en ligne): Je sais que tu es lent d'esprit. Ce n'est pas nouveau...

22 h 58

Alex (en ligne): Ça, c'est la Léa que je connais ! ;)

22 h 59

Léa (en ligne): La vérité, c'est que j'aurais aimé que tu « devines » ce qui n'allait pas entre nous, parce que le fait de devoir te l'expliquer me fait sentir comme si je m'étais imaginé des choses... Et là, je me sens encore plus cruche !

23 h 01

Alex (en ligne): OK, laisse-moi deviner alors : tu es distante parce que tu soupçonnes que je suis un extraterrestre ultra puissant capable d'anéantir la planète ?

Léa (en ligne): Non, mais tu chauffes!;)

23 h 03

Alex (en ligne): OK. Deuxième tentative: tu es distante parce que tu as senti un petit quelque chose entre nous avant que tu partes au camp, et que sans le vouloir, ça te fait bizarre de me voir sortir avec l'une de tes meilleures amies. Et le petit quelque chose que tu as ressenti au début de l'été fait en sorte que tu ne peux pas être complètement à l'aise avec moi.

23 h 03

Léa (en ligne): Bingo! Wow! Tu es moins lent que je ne le croyais!;)

23 h 04

Alex (en ligne): Pourquoi tu ne m'en as pas parlé?

23 h 04

Léa (en ligne): Pourquoi TU ne m'en as pas parlé? C'est toi qui sors avec mon amie, Alex. Et c'est toi qui as essayé de m'embrasser, il y a deux mois.

23 h 05

Alex (en ligne): Argh! Touché. ☹ Tu as raison, Léa. J'aurais dû briser la glace et t'en parler. Tu sais que j'ai toujours eu un petit faible pour toi, mais le soir où j'ai essayé de t'embrasser, tu m'as vraiment fait comprendre qu'il ne se passerait rien entre nous. À cette époque, je ne considérais Jeanne que comme une amie, mais quand tu es partie, on s'est beaucoup rapprochés, et j'ai appris à la voir d'une autre façon...

23 h 06

Léa (en ligne): Je sais, et je comprends. ☺ C'est vrai que j'ai été ferme avec toi!

23 h 06

Alex (en ligne): OK, alors peux-tu me dire pourquoi c'est encore aussi bizarre entre nous?

23 h 07

Léa (en ligne): Argh! Il faut vraiment tout t'expliquer, hein?

23 h 07

Alex (en ligne): Oui.

23 h 07

Léa (en ligne): Tu m'énerves.

23 h 07

Alex (en ligne): Je sais.

23 h 08

Léa (en ligne): Si tu te souviens bien, je ne t'ai pas repoussé parce que ça ne me tentait pas de t'embrasser. Je t'ai repoussé parce que je ne voulais pas ruiner mon amitié avec Jeanne. Et je ne voulais pas te perdre comme ami. Surtout pas après ce qui s'est passé avec Éloi.

23 h 08

Alex (en ligne): Donc, tu avais envie de m'embrasser?

23 h 08

Léa (en ligne): Je n'ai pas dit ça! J'ai juste dit que je n'avais pas «pas envie».

23 h 09

Alex (en ligne): Deux négatifs = un positif!;)

Léa (en ligne): Grrr! Peut-être, mais ça ne change rien aux raisons qui ont motivé mon refus, ni au fait que tu sors maintenant avec Jeanne.

Alex (en ligne): Je sais. Je respecte aussi le fait que tu as refusé de m'embrasser pour éviter de ruiner notre amitié, mais ce que je ne comprends pas, c'est que tu sois aussi distante avec moi aujourd'hui, même s'il ne s'est rien passé entre nous. Avoir su, je t'aurais embrassée quand même!;)

Léa (en ligne): Ha! Ne dis pas ça! Si tu m'avais embrassée, tu ne sortirais pas avec Jeanne!

Alex (en ligne): C'est vrai, tu as raison. ☺ Si ça peut te consoler, sache que, ce soir-là, j'avais VRAIMENT envie de t'embrasser, et que j'ai trouvé ça difficile que tu me repousses parce qu'une partie de moi avait vraiment envie que ça aille plus loin avec toi. Sans compter que c'était un dur coup pour l'orgueil!

Léa (en ligne): Hé! Hé! Désolée!;) Tu ne l'as jamais raconté à Jeanne, hein? Je ne voudrais pas qu'elle croie qu'il y avait quelque chose entre nous avant que vous sortiez ensemble, ou qu'elle se sente trahie...

23 h 12

Alex (en ligne): Moi non plus, et c'est pour ça que je ne lui ai jamais dit.

23 h 14

Léa (en ligne): OK! L'ironie dans tout ça, c'est que c'est moi qui t'ai poussé vers Jeanne!;) Sans blague, je suis contente pour vous. Et même si on avait tous les deux envie de s'embrasser ce soir-là, je me dis que c'est une bonne chose qu'on ne l'ait pas fait. Je venais à peine de me sortir de ma relation avec Éloi, et je n'étais pas prête. Je ne suis toujours pas prête, d'ailleurs! Et puis, je pense sincèrement que Jeanne et toi formez un beau couple! Il faut juste laisser retomber un peu la poussière, mais je suis certaine qu'à force de se croiser à l'école, ça va devenir super normal pour moi de vous voir ensemble. Je vais te trouver de plus en plus repoussant.

23 h 15

Alex (en ligne): Ben là! Quand même pas!

23 h 15

Léa (en ligne): Que veux-tu? C'est tout ou rien avec moi!;) Bon, je te laisse! Mes parents viennent de me préparer un chocolat chaud. On se voit demain! Xx

23 h 16

Alex (en ligne): À demain, alors, petit rongeur!

À : Marilou33@mail.com
De : Léa_jaime@mail.com
Date : Lundi 25 août, 17 h 43
Objet : Hip hip hip ! hourra !

Salut, Lou !
Sache d'abord que le titre de mon courriel est sarcastique. Ça te prépare donc pour ce qui suit : JE CAPOTE !

Comme tu le sais, c'est aujourd'hui que je devais affronter les nunuches et aller chercher mon horaire à l'école. J'ai d'abord rejoint Jeanne au café où l'on avait l'habitude de pratiquer mon anglais l'année dernière, afin de prendre des forces et potiner un peu.

Jeanne : Maude m'a appelée, hier. Elle voulait s'assurer qu'il n'y avait pas de froid avant de commencer l'année. Je lui ai dit que je n'avais pas changé d'opinion depuis La Ronde, et que si elle me forçait à choisir entre elle et toi, ça n'aiderait pas la situation.
Moi : Qu'est-ce qu'elle t'a répondu ?
Jeanne : Qu'elle ne me demandait pas de choisir, mais qu'elle ne pourrait pas être avec moi lorsque tu es présente.
Moi : Argh. Ça promet.

On a marché tranquillement vers l'école. Je sentais mon cœur qui battait de plus en plus fort dans ma poitrine. Non seulement j'allais devoir affronter Maude et sa clique, mais j'allais aussi revoir Éloi et Alex, mes deux « amis » avec qui j'ai une relation plutôt bizarre en ce moment. C'est ce qui arrive quand on mélange amitié avec amour.

On a d'ailleurs croisé Éloi dès qu'on est arrivées devant l'école. J'étais contente de le voir, et j'étais surtout soulagée de constater qu'il avait l'air heureux de me retrouver.

Éloi : Salut, les filles ! Prêtes à recommencer une autre année ?

Moi : Est-ce que j'ai l'air d'une fille qui est prête à servir de tête de Turc à une bande de nunuches pour les dix prochains mois ?

Éloi (en souriant) : Je vois que tu n'as pas perdu ton humour, et que tu as appris de nouvelles expressions au cours de l'été.

Moi (en souriant aussi) : C'est pour t'impressionner et m'assurer une place au journal !

Éloi (pince-sans-rire) : Ah, ben là... Je ne suis pas sûr, Léa. Ça va dépendre un peu de Maude. On pensait peut-être te remplacer par elle, cette année.

Moi (en le frappant sur l'épaule) : Traître !

Jeanne (en nous prenant par le cou) : C'est le *fun* de vous revoir niaiser comme ça ! Vous m'avez manqué !

Éloi et moi avons échangé un sourire. Moi aussi, ça m'avait manqué! La journée commençait bien! Et ça s'est poursuivi lorsque Katherine et Alex se sont joints à nous. Alex a donné un baiser rapide sur les lèvres de Jeanne, puis il m'a regardée d'un air complice.

Alex: Salut, Petit Rongeur!

Éloi: Oh, j'aime ça comme surnom! Je peux l'adopter?

Moi: OK, mais pas devant les nunuches! Je n'ai pas besoin de leur fournir plus de munitions pour m'humilier. N'oubliez pas que je suis la seule Olivier dans l'école, cette année. Félix n'est plus là pour me protéger...

Éloi: C'est vrai, ça! Il va nous manquer, ton frère.

Moi: Pfff, pas tant que ça, quand même! Et si tu t'ennuies trop, tu peux venir l'endurer à la maison!

Éloi: *Deal!*

Katherine: C'est vrai, ça! Ça va être bizarre de ne pas croiser Félix dans la cour.

Alex: Est-ce que madame Katherine serait nostalgique, par hasard? Ton bel Américain ne t'a pas aidée à oublier les charmes de Félix?

Katherine (en le frappant aussi sur l'épaule): Ben non, niaiseux! Mike arrive dans dix jours. Ça va super bien! Je disais juste que ça va être étrange de ne pas voir Félix tous les jours! On s'entend quand même bien, lui et moi. Et non, ça n'a rien à voir avec de la nostalgie.

Moi: Je confirme ce qu'elle dit. Je les ai vus ensemble la semaine dernière. C'est vrai qu'ils s'entendent bien.

Katherine (en me chuchotant à l'oreille): Même si j'aurais aimé qu'il soit avec sa blonde pour qu'elle réalise à quel point son ex est *cool*!

J'ai éclaté de rire.

Jeanne: Hey! C'est quoi, vos petits secrets? Je ne veux pas être exclue! Je me sens rejet!
Moi (en lui faisant un clin d'œil): Je te le dirai plus tard. Les gars ne comprendraient pas.

On est entrés dans l'école et on s'est dirigés vers l'auditorium en riant. J'avais le cœur léger, et je me disais qu'après tout, la nouvelle année scolaire allait peut-être se dérouler sans heurts, car je pouvais enfin compter sur une bande de bons amis. Mon espoir s'est envolé en fumée quand on a croisé Marianne, Lydia, Maude et Sophie à l'entrée de la salle.

Marianne (en me regardant): Alors, Léa, toujours aussi menteuse? Quelle est ta dernière, donc? Ah oui, c'est vrai! Tu as fait croire à mon frère que tu allais au cégep pour l'impressionner! Tu es tellement *loser*!

Les nunuches ont éclaté de rire. Décidément, je m'étais emballée trop vite, et mes ennemies jurées n'allaient pas me laisser m'en tirer si facilement.

J'ai jeté un coup d'œil rapide en direction d'Alex et d'Éloi, qui ignoraient tout de l'histoire. Heureusement pour moi, ils étaient en grande conversation avec José et n'avaient pas entendu l'attaque des nunuches. Je savais toutefois que c'était une question de temps avant que toute l'école soit au courant.

Je m'apprêtais à ouvrir la bouche pour répliquer quand Jeanne s'est imposée à ma place.

Jeanne (d'un ton dégoûté) : C'est vous les *losers*, les filles. On est en secondaire 4, alors il me semble que vous pourriez laisser tomber cette attitude, non ? Je n'ai vraiment pas envie de me taper ça pendant toute l'année.

Jeanne m'a fait un clin d'œil complice et elle est allée s'asseoir avec Katherine. Je m'apprêtais à les suivre quand j'ai entendu les nunuches s'esclaffer dans mon dos. Je me suis retournée et j'ai vu qu'elles se moquaient encore de moi. Même si leur approche était plus discrète, je n'ai pas pu m'empêcher de former un L avec mon pouce et mon index pour leur indiquer qu'au fond, c'était elles les *losers*.

José a surpris mon geste et s'est empressé de m'envoyer un baiser avec la main, sans que Maude le voie. Décidément, l'année scolaire serait longue.

Je me suis installée à côté de Katherine et Éloi est venu s'asseoir à ma gauche. Au moins, j'étais bien entourée.

Le directeur a commencé son discours en nous insistant sur l'importance des notes en secondaire 4 et sur l'avenir prometteur qui nous attendait si on y mettait du nôtre (zzz). Il a ensuite fait monter les deux nouveaux élèves sur la scène. Je me suis revue, l'année précédente, lors de la première journée d'école, et j'ai ressenti beaucoup d'empathie pour Kim, la jeune Asiatique qui a dû se présenter devant tout le monde. Je me suis fait la promesse intérieure d'aller lui offrir mon aide et mon soutien au cours des prochaines semaines, car je sais à quel point c'est difficile au début de l'année de se sentir seule. Si je n'avais pas eu Annie-Claude, je ne suis pas sûre que je m'en serais sortie.

J'ai d'ailleurs cherché mon amie du regard. J'ai vu qu'elle était assise dans la rangée juste derrière moi. Je l'ai trouvée super belle! Elle s'était fait couper les cheveux aux épaules et j'ai remarqué qu'elle avait un peu changé de style au cours de l'été. Elle m'a fait un signe de la main en souriant, et je lui ai indiqué (par des signes) que j'étais contente de la revoir. Maude a soupiré et a poussé un « CHUT ! » super bruyant qui a attiré l'attention du directeur.

Le directeur : Bon, bon, on se calme, les filles.

Moi : Mais...
Maude : CHUT !

Je me suis enfoncée dans mon siège en serrant les poings. Éloi m'a souri et m'a chuchoté de ne pas embarquer dans son petit jeu.

Le directeur a ensuite présenté l'autre nouvel élève qui s'appelle Olivier. Il n'est pas super grand, il a les yeux et les cheveux bruns et il a des fossettes quand il sourit.

Katherine (en chuchotant) : Il est pas mal *cute*, Olivier.
Moi (en le dévisageant) : Mets-en !
Alex et Éloi : Pfff !
Moi (en chuchotant) : Vous êtes tellement jaloux !
Maude : CHUT !
Moi (tout bas) : En tout cas, ça ne me dérangerait pas de lui faire visiter l'école.

On a tous éclaté de rire. Les jeunes autour de nous se sont joints à Maude pour dire « chut ! »

Le directeur : Passons maintenant à la présentation des groupes de cette année, puisque je sais que vous êtes impatients de connaître l'identité de vos nouveaux camarades de classe.

Un prof a épinglé quatre feuilles sur le babillard, et il a invité chaque rangée à la consulter l'une après l'autre pour que les élèves puissent connaître les groupes et le numéro de leur casier.

J'ai d'abord entendu Marianne, Maude et Sophie qui se sautaient dans les bras parce qu'elles étaient toutes ensemble. Je commençais à être de plus en plus nerveuse.

Quand enfin est arrivé le tour de notre rangée, c'est Jeanne qui a jeté le premier coup d'œil aux listes.

Jeanne : Oh, *my God !* C'est la meilleure classe du monde ! On est les cinq dans le groupe 43 !

On s'est tous mis à crier pour célébrer la nouvelle, puis je me suis approchée de la liste pour m'assurer qu'elle disait vrai et pour connaître l'identité de mes autres camarades.

J'ai effectivement aperçu le nom d'Éloi, d'Alex, de Jeanne et de Katherine au-dessus du mien, mais en observant le reste de la liste, mon sourire a disparu.

Moi (d'un air déçu) : Oh, non...
Jeanne (en me prenant par le bras) : Quoi ? Tu n'es pas contente d'être avec nous ?

Moi (en sortant de l'auditorium) : Ouais, je suis super contente d'être avec vous, mais j'avoue que je me serais passée des nunuches.

Jeanne : Quoi ? Elles sont dans notre groupe ? Je n'ai même pas remarqué !

Moi (en me retenant pour ne pas pleurer) : Ouais, le trio infernal est dans notre groupe.

Katherine (en parlant doucement) : Tu parles de...

Moi (en l'interrompant) : Maude, Sophie et Marianne.

Je me suis étouffée sur le nom de Marianne. Jeanne m'a doucement guidée vers les toilettes des filles pour qu'on puisse discuter tranquillement.

Katherine : Léa, tu ne dois pas t'en faire à cause d'elles. Nous serons là pour te protéger, cette année ! Dis-toi que tu peux compter sur Éloi, Alex, Jeanne et moi pour te défendre !

Moi (en m'efforçant de sourire) : Ouais, je sais... Je suis juste vraiment tannée de me faire niaiser par elles, et je ne sais pas si je pourrai supporter ça encore une autre année.

Jeanne (en passant son bras autour de mon cou) : Tu verras que ce sont elles qui prendront leurs distances ! Et en plus, je ne sais pas si tu as bien regardé la liste, mais le petit nouveau est aussi dans notre groupe...

J'ai souri et la porte de la salle de bains s'est ouverte d'un coup sec. Lydia est apparue en larmes devant nous.

Lydia : C'est injuste ! Je suis *full* rejet dans ma classe !
Maude (en arrivant derrière elle avec Sophie) : Ben non, voyons ! Il y a plein de gens *cool* dans ton groupe ! Il y a Antoine, et même José ! En plus, maintenant qu'on ne sort plus ensemble, je vais avoir besoin de quelqu'un pour le surveiller !
Sophie : En tout cas, une chance que Maude n'est pas dans ton groupe, parce que ce ne serait pas évident de gérer le triangle amoureux !
Maude : Bof, Antoine ne m'intéresse plus vraiment. Je le trouve ordinaire, tout à coup. Mais on ne peut pas en dire autant du petit nouveau ! Il est *cute*, je trouve. C'est clair que je sors avec lui d'ici Noël !
Lydia (en éclatant de nouveau en sanglots) : En voilà un autre qui n'est pas dans ma classe ! Ce n'est pas juste !
Maude (en me regardant) : Ouais... mais dis-toi qu'au moins tu n'auras pas à endurer Léna pendant les dix prochains mois.
Moi (en m'approchant d'elle) : Le sentiment est mutuel, Maude. Et tiens-toi tranquille, parce que je ne compte pas me laisser intimider toute l'année par toi et tes greluches. Pour ce qui est d'Olivier, je te parie que c'est *moi* qui sortirai avec lui d'ici l'Halloween.

Et je suis sortie des toilettes. Je n'en revenais pas. Je ne sais pas si c'est le soutien de mes amies qui m'a poussée à être aussi audacieuse, mais j'étais fière de moi !

Jeanne (en me rattrapant avec Katherine) : Tu vois, tu n'as même plus besoin de nous pour te défendre ! Tu réussis à la boucher toute seule !

On a éclaté de rire et on est allées chercher nos agendas avant de prendre possession de nos casiers. Comble de la coïncidence, celui d'Olivier est situé entre le mien... et celui de Maude. Hip hip ! hourra ! Me voilà repartie pour une autre année scolaire remplie de rebondissements ! Pour une fille qui espérait être tranquille cette année, je n'aurais pas pu connaître une rentrée plus angoissante. Mais ne t'en fais pas pour moi : Écureuil Rôti n'hésitera pas à sortir ses griffes pour faire face aux nunuches et à toutes les aventures qui l'attendent ! ;)
Léa xox

À suivre...

Tu peux suivre
Catherine Girard-Audet
sur **facebook.com/CatherineGirardAudet**

DÉCOUVRE SES NOUVEAUTÉS
ET COMMUNIQUE AVEC TON
AUTEURE PRÉFÉRÉE !

L'ABC
des filles

L'ABC des filles, une encyclopédie pour jeunes adolescentes : c'est plus de **150 articles** parfois sérieux ou parfois drôles.

C'est aussi des **entrevues exclusives** avec des auteurs qui s'intéressent aux jeunes comme India Desjardins, créatrice du Journal d'Aurélie Laflamme , **des tests** et **des trucs pour une soirée bien réussie**.

On y retrouve également « *Le Courrier de Catherine* » où les lectrices trouveront réponses à plusieurs de leurs questions.

IL REVIENT CHAQUE ANNÉE, PENSE À TE METTRE À JOUR !